Alicia. Unverhofft nervt oft

Ilona Einwohlt

Unverhofft nervt oft

Ilona Einwohlt

Arena

FSC
www.fsc.org
MIX
Papier aus verantwortungsvollen Quellen
FSC® C110508

3. Auflage 2014

Einbandillustration und Innenvignetten: Martina Badstuber
Einbandgestaltung: Frauke Schneider
Innengestaltung: KOKOM Kommunikation GmbH, Darmstadt
Gesamtherstellung: Westermann Druck Zwickau GmbH
ISBN 978-3-401-06932-6

www.arena-verlag.de
Mitreden unter forum.arena-verlag.de

Inhalt

Schreibe etwas über Dich

Hey! Ich bin Alicia. Nicht Alice aus dem Wunderland oder die mit der Flatrate, sondern Alicia. Diesen besonderen Vornamen verdanke ich meinem Vater, der ein Faible für alles Italienische hat und mich „Alitschia" ruft. Meine beste Freundin Bibi, die mich wie alle lieber Alicia nennt, findet, ich sollte froh sein, solch einen Namen zu haben. Immerhin sei er das Aufregendste an mir. Im Gegensatz zu ihr, die nämlich lange blonde Haare hat, jedes Tennisturnier gewinnt, dreimal im Jahr verreist und bereits fünfmal verliebt war (davon einmal mit küssen), bin ich eher der Typ braune Maus: Ich habe langweilige, borstige Haare, genau vier Pickel im Gesicht, eine durchschnittliche Figur mit unterdimensionalen Busenknubbeln und Schuhgröße siebenunddreißig. Ich trage Normalo-Jeans von H & M, besitze

ein paar stumme Fische im Aquarium und spiele Gitarre, klassische natürlich.
Während mein Vater als Tourismusmanager durch die Welt jettet, verbringe ich sechs langweilige Stunden in der Schule und weitere drei mit noch öderen Hausaufgaben. Wenn es ganz schlimm kommt, muss ich Oma Lisa beim Herrichten unserer zehn – Z-E-H-N! – Gästezimmer helfen oder Klos putzen.
Wer jetzt meint, na, aber in der Schule, da hat man doch als Teenie erfahrungsgemäß so seinen Trouble mit den Lehrern: geschnitten! Ich bin eine Durchschnittsschülerin mit Durchschnittsnoten und schreibe zuverlässig Zweier, Dreier und Vierer in allen Fächern.
In meinem Lieblingsfach Bio bin ich auch nicht besser als in Englisch, wo ich so gut wie nie die Hausaufgaben mache. Ich bekomme keine blauen Briefe wie Bibi, weil sie Chemie schwänzt, noch droht mir ein Schulverweis wie Jo, die auf dem Klo erwischt wurde, als sie dort heimlich geraucht hat. An sich ist mein Leben total öde und langweilig. Wenn nicht die Sache mit der Fünf in Mathe passiert wäre …

Weiß und kalt wie Schnee

Schuld daran war der Schnee, der seit Anfang Januar in dicken Flocken vom Himmel fiel und mir die Laune vermieste. Deswegen ging ich nicht vor die Tür, deswegen spielte ich nicht auf meiner Gitarre, deswegen lernte ich nicht für die Schule. Es war, als ob meine Hirnzellen schockgefroren waren. Alles lag wie unter einer Schneedecke begraben, selbst meine Fische schwammen langsamer als sonst. Ich konnte nichts anderes tun als nichts. Dieses Weiß überall lähmte mich und machte, dass ich von morgens bis abends schlechte Laune hatte und nichts auf die Rille brachte.

Das wiederum ärgerte Oma Lisa, die auf meine Hilfe im Haushalt angewiesen war, weil sie Gästezimmer vermietete, die ständig hergerichtet werden mussten. Jeden Tag war ich aufs Neue ihrem Gezeter über meine Faulheit ausgesetzt, wenn sie wieder einmal alleine die Mahlzeiten für unsere Feriengäste zubereiten oder die Räume putzen musste. Denn obwohl es tiefster Winter war, gaben sich die Gäste die Klinke in die Hand, weil unser Anwesen einen besonderen *Charme* hatte, wie es in einem Insider-Reiseführer stand. Aber Oma Lisa und ihre Herzlichkeit waren damit sicher nicht gemeint. Es lag vielmehr an dem verwahrlosten Gelände am Stadtrand, auf dem dieses total abgewrackte Bahnhofsgebäude stand, das ich mein Zuhause nannte. Züge hielten hier seit Ewigkeiten nicht mehr. Längst wuchsen zwischen den Gleisen bunte Ringelblumen und Kräuter – wenn nicht gerade alles so wie jetzt unter einer dicken Schneedecke begraben war. Wir lebten in dem modernisierten Teil mit fließend Wasser und Heizung, während auf der Westseite der Dachboden vor sich hin bröselte und der Schimmel an den Wänden hochkroch. Was die einen *charmant* nannten, versetzte mich in höchste Panik. Es war nur eine Frage der Zeit, bis der Verfall mein Zimmer erreicht haben würde, und so setzte ich alles daran, meine Bude warm und trocken zu halten. Ich hatte mir vom Sperrmüll einen elektrischen Heizlüfter organisiert, den ich im Winter auf Hochtouren laufen ließ. Natürlich gegen den Willen von Oma Lisa, die an Knausrigknickrigkeit nicht zu übertreffen war.

Längst hatte ich mich daran gewöhnt, von meiner Oma großgezogen zu werden, weil meine Mutter unsere Familie vor langer Zeit verlassen hatte. Ich beklagte mich auch nicht darüber, dass ich keine Geschwister hatte und mein Vater durch seine Abwesenheit glänzte. Und eine vor sich hin grummelnde Oma war mir ebenso vertraut wie ihr schmerzverzogenes Gesicht an feuchten Regentagen, wenn sie das Rheuma plagte. Aber in jenen verschneiten Tagen dämmerte mir, dass ich mit fast dreizehn Jahren ganz andere Probleme hatte als die Frage, ob jemand mit dem Marmeladenlöffel im Honigglas war, eins der Handtücher hatte mitgehen lassen oder dass die Stromrechnung mal wieder viel zu hoch ausgefallen war.

Denn als mein Vater, heimgekehrt von einer zweiwöchigen Recherchetour auf Sardinien, die Mathearbeit unterschreiben musste, platzte ihm vor Empörung der Kragen seines italienischen Designerhemdes.

„So geht das nicht weiter, *Alitschia!*“, rief er und fuchtelte mir mit dem Blatt vor der Nase herum. „Das werde ich mit deiner Lehrerin besprechen! Und Nachhilfe bekommst du auch.“

Wie gesagt, das war der Anfang vom Ende.

Ich seufzte tief. So viel väterliche Aufmerksamkeit war ich überhaupt nicht gewohnt und sie verhieß nichts Gutes. Beim letzten Mal hatte sie dazu geführt, dass ich fünf Tage lang in der Kinderklinik durchgecheckt wurde, nur weil mein Vater in Folge einer heftigen Magen-Darm-Grippe bei mir eine Immunschwäche vermutete. Davor hatte ich eine Knochenhautentzündung vom vielen Balletttraining und konnte drei Monate lang nur humpeln. Jemand hatte behauptet, ich hätte Talent, weswegen mich mein Vater viermal pro Woche von einer ehrgeizigen Primaballerina unterrichten ließ, private Einzelstunden, versteht sich. Und als ich in der dritten Klasse zum ersten Mal Englisch hatte, steckte mich Papa aus lauter Begeisterung in den Ferien kurzerhand in ein Sprachcamp – und ich verbrachte zwei Wochen voller grässlichem Heimweh. *Homesick*. Das Wort werde ich mein Leben lang nicht vergessen.

„Nachhilfe kann mir Daniel geben“, beeilte ich mich zu sagen, bevor mein Vater auf die glorreiche Idee kam, mir einen Mathematikprofessor von der Uni zu organisieren.

„Ausgerechnet Daniel?“, mischte sich Oma Lisa ein, die gerade dabei war, Handtücher zusammenzulegen. Eine Arbeit, die sie sonst gerne mir auftrug. Aber ich hatte ja eine der seltenen ernsthaften Unterredungen mit meinem Vater.

„Daniel ist Bundessieger im Känguru-Wettbewerb“, erklärte ich schnell, damit keine Missverständnisse aufkamen.

„Alicia, es geht um Mathematik, nicht um Biologie“, warf mein Vater missbilligend ein und schob die schwarze Hornbrille auf seiner Nase zurecht. In diesem Moment konnte ich ihn nicht leiden. Immer wollte er alles besser wissen. Dabei hatte er null Ahnung von mir und meinem Leben.

„Es geht um mich“, antwortete ich sehr selbstbewusst. „Und Daniel hilft mir gerne.“ Ich war aufgesprungen. Daniel wohnte nebenan und ging in meine Klasse. Weil hier draußen außer uns sonst niemand lebte, verbrachten wir zwangsläufig viel Zeit miteinander und waren über die Jahre richtig dicke Kumpelfreunde geworden.

Wenn wir uns gegenseitig bei den Hausaufgaben halfen, hatte jeder mehr Freizeit. Ich für mich und Daniel für seinen Hund Carlo, mit dem er eines Tages eine Hundezucht eröffnen wollte.

Im alten Lokschuppen hatten wir uns innerhalb der Meisterbude eine gemütliche *Zweitwohnung* geschaffen, mit Sofa, Schränken und einem Schreibtisch. In diesem Glaskasten, wo früher der Werkstattmeister seine Pläne studierte und den Papierkram erledigte, trafen wir uns, sooft es ging. Ich, um meine Ruhe vor Oma Lisa und den Gästen zu haben. Und Daniel verkrümelte sich hierher, weil es der einzige Ort war, wo er sich vor seiner überbehütenden Mutter Lydia sicher fühlte, die ihn sonst auf Schritt und Tritt bewachte – auch wenn so ein alter Lokschuppen samt seiner Untersuchungsgrube alles andere als sicher war, denn überall lagen noch Seile, Stangen und Bohlen herum. Aus unerfindlichen Gründen war es Lydia ein Dorn im Auge, wenn Daniel so viel Zeit bei uns drüben verbrachte. Ich glaubte, es hatte etwas mit seinem Opa Georg zu tun, ein alter, gereizter Kauz, der auf seine Nachbarin, nämlich meine Oma Lisa, nicht sonderlich gut zu sprechen war. Aus Gründen, die lange vor meiner Zeit liegen mussten, aber darüber redete sie nie.

Jetzt, im Winter, war es in unserer Bude sibirisch kalt und wir konnten nicht gemeinsam dort lernen. Deswegen hatte ich ja die fette Fünf kassiert.

„Ich weiß nicht …“ Mein Vater kratzte sich nachdenklich am Kopf. „Ich finde, du solltest die Schule ernster nehmen! Ich spreche mit deiner Lehrerin und dann sehen

wir weiter." Schon hatte er sein Smartphone gezückt und wischte mit dem Zeigefinger darüber.
Ich verdrehte die Augen. Ich hatte auch so ein Teil, sogar mit Flatrate-Vertrag, aber ich nutzte es kaum. Mit wem sollte ich denn skypen oder simsen? Die Eltern meiner Freundinnen Amal und Bibi waren nämlich weniger spendabel und erlaubten nur eine Stunde Internet pro Tag. Solche Diskussionen hatte ich glücklicherweise nicht! Mit Papa nicht, weil er durch und durch ein Medienmensch war und ja sowieso nie da. Und mit Oma nicht, weil sie froh war, wenn sie ihre Ruhe vor mir hatte. Manchmal hatte diese Kleinstfamilie, in der ich leben musste, auch ihre guten Seiten.
„R-o-s-e-l-o-t-t-e F-r-o-b-o-e-s-e, ist sie das?" Mein Vater las jeden Buchstaben betont einzeln und kriegte sich gar nicht mehr ein vor Lachen. „Wieso müssen Menschen mit den seltsamsten Namen ausgerechnet immer Lehrer werden?"
Das fragte ich mich im Fall von Frau Froboese schon lange. Sie hieß nicht nur seltsam, sie war es auch. Weniger äußerlich, da wirkte sie mit ihren langen blonden Haaren und ihrer sportlichen Figur eher wie eine sexy Lady. Das fanden zumindest Daniel und die anderen Jungs. Mir war es egal, wenn ihr Minirock wieder einmal kürzer war als der von Jo, dem Modemädchen aus meiner Klasse. Oder wenn sie ständig wechselnde Tücher trug, die farblich auf ihr Outfit abgestimmt waren. Aber die anderen lästerten natürlich gerne, allen voran Daniel, der der Meinung war, eine Mathelehrerin wie sie und mit diesem Namen gehöre in die Grundschule und nicht aufs Gymnasium. Er liebte

es, mit Frau *Gutschlimm* über komplizierte Terme oder rationale Zahlen zu diskutieren, und gab nicht eher Ruhe, als bis er ihr einen Fehler nachgerechnet hatte. Daniel würde mir also ganz sicher ein sehr guter Nachhilfelehrer sein und das auch gerne tun, da hatte ich überhaupt keine Bedenken. Die Frage war also: Was wollte Papa dann bei ihr? Dass sie leider zu den Mathematiklehrerinnen gehörte, die nicht besonders gut erklären konnten, und die meisten aus meiner Klasse bei ihr um zwei Noten schlechter waren als sonst, war ein offenes Geheimnis. Außerdem wirkte sie dauergestresst, selbst wenn sie sich für die Schule wie für den Laufsteg stylte. Und in so einem Elterngespräch würde sie meinem Vater nur erzählen, dass ich die letzten Male nicht die Hausaufgaben gemacht hatte und im Unterricht vor mich hin träumte, anstatt mich aktiv zu beteiligen. Ganz sicher würde sie ihm auch brühwarm verpetzen, dass Bibi und ich ihr ständig blöde Streiche spielten. Nein, dieses Gespräch musste ich unbedingt verhindern.

Jo und Amal fanden das mit den Streichen kindisch und Daniel hielt sich ebenfalls aus unseren Aktionen heraus, aber Bibi und ich hatten aus lauter Langeweile eine lange Liste angelegt, die wir Punkt für Punkt genüsslich abhakten. Angefangen bei einem versteckten Klassenbuch, Wackelkontakten im Smartboard bis hin zu der Sache mit dem zerrissenen Stoff … Das war besonders witzig, weil Frau *Hässlichschön* just an jenem Tag ihren engsten Rock trug, an dem sie ständig herumzupfte. Und als sie sich nach einem heruntergefallenen Stift bücken musste, riss ich heimlich unter meinem Tisch ein Stück Stoff auseinander.

Es machte *Ritsch!* – und Frau *Munterlahm* ein erschrockenes Gesicht. Panisch lief sie aus der Klasse und ließ sich die restliche Woche krankschreiben. Natürlich hatte sie keinen blassen Schimmer, dass ich dahintersteckte, weil unsere Klasse eisern zusammenhielt und niemanden verpetzte. Aber garantiert würde sie Papa bei dieser Gelegenheit stecken, was es mit meinem Lernverhalten auf sich hatte – und dass meine Fünf nur die logische Folge davon war.

„Ich krieg das schon wieder hin!“, versuchte ich, ihn zu beschwichtigen. Bei dieser Gelegenheit war ich auf seinen Schoß geklettert und schmiegte mich an ihn wie früher als kleines Mädchen, als er mir noch jeden Abend „Alice im Wunderland“ vorgelesen hatte. Natürlich die Original-Version, nicht die Disney-Variante, mein Vater hat schon immer großen Wert auf meine Bildung gelegt.

„Davon bin ich überzeugt“, mischte sich abermals Oma Lisa ein. Sie schenkte mir ein missbilligendes Lächeln, nach dem Motto »Was will denn eine fast Dreizehnjährige auf Papas Schoß?«.

„Wenn Alicia sich in Zukunft anstrengt, wird sie das schon schaffen“, fuhr sie energisch fort. „Oder willst du etwa die Zeit dieser schicken Frau Froboese vergeuden?“ Jetzt sah sie meinen Vater streng an und ich fragte mich, woher Oma wusste, dass meine Mathelehrerin so umwerfend gut aussah?!

Die Wahrheit nämlich lautete: Mein Vater war ein unverbesserlicher Casanova, der sich nur allzu gerne von hübschen Frauen um den Finger wickeln ließ. Ob auf seinen unzähligen Dienstreisen oder von wechselnden weiblichen Gästen hier im alten Bahnhof.

Oma sagte: „Ständig diese Liebschaften, lass mich bloß damit in Ruhe!“

Daniel meinte: „Der ist ja schlimmer als Carlo!“

Mir war er einfach nur peinlich.

„Es ist, weil er deine Mutter so geliebt hat“, erklärte mir Oma Lisa, als ich sie einmal in meiner Verzweiflung darauf ansprach. Da hatte Papa innerhalb eines Jahres zwölf Frauen geküsst und ich fand das einfach nur eklig. Es sei eine Wette gewesen, behauptete er mir gegenüber, aber ich glaubte ihm nicht. Was Oma da erzählte, allerdings auch nicht. Wenn er Mama wirklich noch lieben würde, würde er keine andere angucken. Und Oma sagte das nur, um mich zu trösten. Denn als ich klein war, hatte ich sie einmal dabei überrascht, wie sie mit tränennassen Augen ein vergilbtes Foto von meinem Vater und einer wunderschönen Frau betrachtete. Es war nicht meine Mutter, so viel erkannte ich, selbst mit meinen damaligen vier Jahren. Auf meine erschrockene Frage hin erklärte sie mir, dass mein Vater keiner Frau treu bleiben könne und meine Mutter deshalb an einem fremden Ort lebte, wo ihr als Märchenprinzessin sämtliche Männer zu Füßen lagen. Ich habe es lange Zeit geglaubt.

„Ja, du hast recht“, antwortete mein Vater, nachdem er mir ausführlich durch meine Haare gewuschelt hatte. Gleich würde er wieder „Asinello“ sagen, was auf Italienisch Eselchen bedeutete und auf meine braunen, widerspenstigen Haare anspielte. Die Haare hatte ich leider nicht von meiner Mutter geerbt, wie ich von dem Foto, das auf dem Wohnzimmerschrank stand, wusste. Mama hatte wunderschöne lange, glatte blonde Haare gehabt. Ob sie mittlerweile ein bisschen grau waren?

„Dann rufe ich gleich mal Daniel an!“, rief ich erleichtert, bevor er seine väterlichen Anwandlungen bekam. Für heute hatte ich genug von ihnen. Ich sprang auf.

„Aber danach hilfst du beim Frühstückstischdecken, damit für morgen früh alles bereit ist!“, rief Oma Lisa mir nach, aber da war ich schon im Büro, um mir das Funkteil zu angeln.

Genervt rollte ich mit den Augen, während ich die Kurzwahltaste drückte.

„Ja-a!“, rief ich ihr nach.

„Sie ist groß geworden, findest du nicht?“, hörte ich meine Oma mit einem gewissen Unterton in der Stimme noch sagen.

Daniel war sofort dran. „Wo brennt's?“, kam er ohne Umschweife zur Sache. Wie gesagt, wir kannten uns gut.

„Mathe, du musst mit mir lernen“, antwortete ich ebenso knapp, während ich wieder Richtung Küche schlich, um zu lauschen, was Papa und Oma sich zu sagen hatten.

„Oh ja“, seufzte mein Vater. „Wem sagst du das!“

„Höchste Zeit, dass du dich mehr um sie kümmerst!“

„Klar, und wann?“

„Am besten gleich morgen. Damit sie die Sache so schnell wie möglich vergessen.“

„Das arme Mädchen ist ja total durcheinander! Diese ständigen Frauengeschichten! Kein Wunder, dass sie in der Schule so schlecht ist. Du musst wohl doch mit der Lehrerin reden."

„Wie du meinst. Dann spreche ich eben mit dieser Frau Froboese."

„Super. Aber nicht im Schuppen, da ist es zu kalt."

„Das will ich dir auch geraten haben. Die Heizung knackt übrigens."

„Dann treffen wir uns lieber bei mir, bevor deine Mutter wieder blöde Fragen stellt."

„Einverstanden. Was ich dir übrigens noch sagen wollte ..."

Der Rest ging in Stuhlgeschiebe und -gerücke unter, weil mein Vater aufstand und die Küchentür schloss. Er konnte ja nicht ahnen, dass ich die ganze Zeit über draußen im Flur stand und lauschte, während ich mit Daniel telefonierte. Zu gerne hätte ich an jenem Abend noch erfahren, was er meiner Oma zu sagen hatte. So musste ich Daniels Monolog über mich ergehen lassen.

„Carlo hat Zuchtpotenzial!" erzählte er begeistert. „Ich war heute bei der Zuchtwartin und sie meint, noch drei Prüfungen und dann sollte er an den Start gehen können."

„Das wäre ja großartig", murmelte ich abwesend, nicht wirklich begeistert über Daniels Ausführungen. Daniel träumte davon, ein erfolgreicher Hundezüchter zu werden. Seit er seinen Hovawart-Rüden Carlo hatte, der vor Männlichkeit nur so strotzte, war er seinem Ziel ein großes Stück näher gekommen. Während Daniel mir weiter davon vorschwärmte, wie er mit Bierhefe und Rapsöl Carlos Fell auf Hochglanz bekäme, versuchte ich, heimlich an der Küchentür zu lauschen, welch wichtige

Mitteilung mein Vater wohl meiner Oma zu machen hatte. Aber sosehr ich mich auch anstrengte, es gelang mir nicht, auch nur einen Gesprächsfitzel zu verstehen.

Wie denkst Du über Jungs?

Um die nächste Frage gleich zu beantworten: Nein, auch das Thema Jungs ist bei mir langweilig. Bibi meint, kein Wunder, ich wäre ja noch so kindisch und würde lieber den Fischen in meinem Aquarium zugucken als nach Jungs Ausschau halten. Dass ich Gitarre spiele und gerne Pferdebücher lese, in denen noch nicht einmal geküsst wird, macht die Sache in ihren Augen auch nicht besser. Sie erzählt mir jeden Tag, dass sie heimlich in Daniel verknallt ist und nicht weiß, was sie machen soll. Schließlich ist Tim aus der 8b auch so toll und Kamil aus der Parallelklasse hat sie total süß angelächelt, sodass sie sich jetzt andauernd fragt, ob er etwas von ihr will oder nicht. Stundenlang muss ich mir ihre Schwärmereien über Jungs anhören.

Dass sie sich nicht traut, Daniel anzusprechen, um ihm ihre Liebe zu gestehen, dass sie nicht weiß, ob Tim ihr Outfit mag und auf ihre blonden Haare steht oder ob Kamil sie nur toll findet, weil sie schon einen BH trägt.
Wenn sie wüsste, dass sich Daniel aktuell nur für Carlo interessiert, würde sie sich wahrscheinlich mit ihren High Heels von der Brücke stürzen. Ich bin nach solchen Nachmittagen mit Bibi immer unsäglich erschöpft und frage mich dann, was mit mir los ist. Ob ich fehlentwickelt bin, weil ich all ihre Aufregung nicht nachvollziehen kann und warum ich mich nicht für ihre Themen wie Schminken, Küssen und Jungs interessiere.

Alles Spitze oder was?

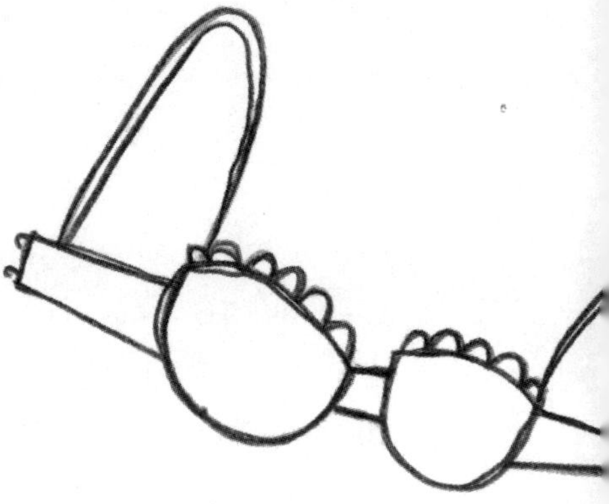

Es war ein paar Tage später, an einem Sonntag, als sich mein Leben für immer veränderte. Nach wie vor schneite es in einer Tour und aus lauter Frust war ich im Bett liegen geblieben, anstatt Oma Lisa beim Frühstücksgeschäft zu helfen. Ich hörte das laute, vorwurfsvolle Geklapper der Teller und Schälchen bis hoch auf mein Zimmer, aber ich hatte keine andere Wahl, als liegen zu bleiben. Bibi hatte mir gestern eine ihrer Mädchenzeitschriften ausgeliehen und ich blätterte lustlos darin herum. Partyoutfits oder die Frage nach dem richtigen Nagellack interessierten mich einfach nicht. Oma Lisa würde mir was husten, wenn ich ihr erklären würde, dass ich ihr ausnahmsweise nicht beim Marmeladekochen helfen könne, weil gerade die dritte Schicht meiner french manikürten Fingernägel trocknen müsse. Aber Bibi fühlte sich verantwortlich für mich und war der Meinung, ich könne viel mehr aus meinem Typ machen. Ich müsse mich nur mal trauen und mir ein paar blonde Strähnchen färben, enge Hosen tragen und die passenden T-Shirts dazu. Außerdem bräuchte ich ein aufregendes Hobby wie *Modern Dance* oder *Creative Work,* dann würden andere endlich mal merken, was in mir steckt. Sie hatte mir diesen Test empfohlen, bei dem es um die Frage ging, wie weit entwickelt man ist. Also tat ich ihr den Gefallen und kreuzte an, welche Duftrichtung mein Lieblings-Deo hatte, ob ich lieber Bustier oder BH trug und ob ich schon mal einen Jungen geküsst hatte. Schwierig, schwierig, wenn man wie ich kein Deo benutzte, nur zwei winzige Busenknubbel besaß und um Jungs (außer Daniel, aber der zählte nicht) einen großen Bogen machte. Aber ich quälte mich tapfer durch und setzte ein Kreuzchen nach dem nächsten.

Müßig zu erwähnen, dass ich in der Rubrik „Spätzünder" landete. Wenn ich Bibi morgen davon erzählen würde, würde sie mich garantiert mit ihren kajalschwarzen Augen verzweifelt anschauen und für beratungsresistent erklären. Ich konnte nur hoffen, dass sie daraus Konsequenzen zog und mich nicht zu ihrer Wellness-Party einlud, ich würde absagen müssen. Denn ich konnte mir beim besten Willen nicht vorstellen, mir Gurkenscheiben aufs

Gesicht zu legen oder mir gar von Bibi die Füße massieren zu lassen. Ich blätterte weiter und las noch SEHR interessiert den Artikel über Schamhaarfrisuren.
Seufzend drehte ich mich auf die andere Seite und versuchte, wieder einzuschlafen. Es fiel mir schwer zu entspannen, weil irgendwas in meiner Unterhose drückte. Das passierte mir in letzter Zeit öfters, so ein unbestimmtes Kribbeln und es wurde nur besser, wenn ich meine Hand zwischen die Beine legte. An jenem Sonntag aber war das Zeichen eindeutig: Ich musste aufs Klo, pinkeln, und zwar dringend!
Also sprang ich auf, rannte Richtung Badezimmer und drückte mit halb runtergelassener Schlafanzughose die Klinke. Und wer stand mir da splitterfasernackt gegenüber? Roselotte Froboese!
R-o-s-e-l-o-t-t-e F-r-o-b-o-e-s-e!!!!!!!!!!!!!!!!!!!!!!!!!!
Im Nachhinein weiß ich nicht mehr, wer von uns beiden lauter geschrien hat, sie oder ich. Und ich weiß auch nicht, wer von uns sich dämlicher vorkam: sie, mit ihrem zartweißen Alabasterkörper, verwuschelten Haaren und den kugeligen Brüsten. Oder ich, mit der hochgerafften Schlafanzugjacke, nacktem Popo und der Hose in den Knien.
Fix murmelte ich irgendeine Entschuldigung, zog die Badezimmertür von außen zu und meinen Pyjama wieder hoch. Dann stürmte ich auf mein Zimmer zurück, wo ich mich sofort aufs Bett schmiss und die Decke über den Kopf zog, und zwar fest.
Ich konnte es immer noch nicht fassen: Meine Mathelehrerin stand nackt in unserem Badezimmer. Nackt. Und das

konnte nur eins bedeuten: Sie kam direkt aus Papas Bett und sie hatten Sex. Sex. SEX. Wie peinlich! Papa hatte sie also tatsächlich getroffen und sie mit seinem George-Clooney-Charme hoffnungslos um den Finger gewickelt.

Früher, als ich kleiner war, habe ich mir nichts dabei gedacht, wenn hier irgendwelche Kerstins, Sabines, Monikas oder Stefanies übernachteten. Papa erzählte mir immer, dass sie gemeinsam Karten spielten und einen gemütlichen Abend miteinander verbrachten und es für Kerstin, Sabine, Monika oder Stefanie zu spät zum Nachhausefahren gewesen wäre, wir wohnten ja außerhalb der Stadt. Das hatte ich sofort verstanden, weil mich meine Freundinnen deswegen auch selten besuchten und wenn, dann auch bei uns übernachteten. Oma Lisa sah das zwar nicht so gerne, weil sie mit ihren anderen Gästen genug zu tun hatte. Sie duldete es nur unter der Bedingung, dass Amal oder Bibi ihre eigenen Schlafsäcke mitbrachten.

Kerstin, Sabine, Monika oder Stefanie brachten nie ihre Schlafsäcke mit, sie schliefen ja in Papas Bett. Erst vor Kurzem hatte ich kapiert, weshalb sie bei ihm blieben. Diese Erkenntnis verdankte ich Daniel, der sich wegen Carlo seit Neustem brennend für alles interessierte, was mit Fortpflanzung zu tun hatte.

Und jetzt war *Roselotte Froboese* ohne Schlafsack und ohne Kleider bei uns. Gleich würde ich ihr beim Frühstück gegenübersitzen! Ich, ihre schlechteste Matheschülerin ever, die mit den fiesen Streichen auf dem Gewissen. So blieb mir keine andere Wahl, als an jenem Morgen im Bett zu bleiben und mich schlafend zu stellen, als Papa an

der Tür klopfte. All das änderte nichts an der Tatsache, dass ich immer noch fürchterlich dringend aufs Klo musste, langsam hatte ich das Gefühl, innerlich überzulaufen. Aber nichts und niemand würden mich heute aus meinem Zimmer bringen, lieber pinkelte ich ins Aquarium. Noch einmal meiner MATHE!!!-Lehrerin über den Weg zu laufen, wollte ich lieber nicht riskieren.
So lag ich dann den restlichen Tag über in meinem Bett und grübelte, was meinen Vater um Himmels willen geritten hatte, Frau Blödnett zu küssen. Ausgerechnet MEINE Mathelehrerin! Noch schlimmer war für mich die Frage: Wie sollte ich jemals wieder in ihrem Unterricht sitzen und so tun, als sei nichts gewesen? Als hätte ich sie nicht nackt gesehen ... Vor lauter Nachdenken bekam ich Kopfschmerzen, ich fühlte mich wirklich todsterbenselend und schlief schließlich vor erschöpfter Verzweiflung ein.
Um den frühen Nachmittag herum klopfte es dann energisch an meiner Tür. Es war Oma Lisa, die fragte, ob ich nicht endlich aufstehen wolle. Bibi hatte angerufen und wissen wollen, ob ich Lust hätte, mit ihr, Amal und den anderen Schlittschuhlaufen zu gehen und vielleicht sei das eine gute Idee. Täuschte ich mich oder schwang da ein Hauch von Besorgnis in Omas Stimme mit?
Ich krächzte ein mattes „Ich überleg's mir", bevor ich hinzufügte: „Gibt's noch was zum Mittagessen?"
Auf der anderen Seite war es einen Moment lang still. Wahrscheinlich rechnete Oma insgeheim nach, wie viel sie für die Gäste brauchte und was für mich übrig war.

„Du kannst dir ein Brot schmieren, ich habe frischen Kräuterquark gemacht“, antwortete sie nach einer Weile. Und dann sagte sie noch: „Dein Vater ist übrigens ohne dich unterwegs, ich soll dich schön grüßen. Er wollte dich nicht wecken …“

„Danke, nett von ihm“, fauchte ich. Na prima, wahrscheinlich machte Papa jetzt einen romantischen Winterspaziergang mit *Freundlichgemein* und ich konnte hier vor lauter Langeweile Schimmel ansetzen. Dabei hatte ich mich so auf ein freies Wochenende mit ihm gefreut, schließlich hatte er versprochen, mit mir ins Kino zu gehen! Solche Unternehmungen kamen nämlich nicht so häufig vor. Jetzt würde ich wieder drei Monate warten müssen, bis er von seiner nächsten Dienstreise zurückkäme.

Dass er ohne mich unterwegs war, bedeutete allerdings auch, dass die Luft rein war. Ich konnte endlich, endlich aufs Klo. Nachdem ich gefühlte zwanzig Liter ausgestrullert und mir ausgiebig Hände und Gesicht gewaschen hatte, fühlte ich mich bedeutend besser. Was soll's, versuchte ich, mir Mut zuzusprechen, ganz bestimmt würde ROSELOTTE das gleiche Schicksal ereilen wie all die Kerstins, Sabines, Monikas oder Stefanies vor ihr und in ein paar Wochen wäre sie Geschichte. Wie ich solange die Schule überleben sollte, wusste ich allerdings nicht. Verzweifelt versuchte ich, Ordnung in meine Haare zu bringen, die verstrubbelter als sonst in alle Richtungen von meinem Kopf abstanden. Seufzend legte ich den Kamm zur Seite und trat einen Schritt zurück, um mich besser betrachten zu können. Rosettenmeerschweinchen, würde Bibi mitleidig sagen.

Ich streckte mir (ihr!) im Spiegel die Zunge raus. Da fiel mein Blick auf eine mir unbekannte Toilettentasche im Regal. Meine Finger fingen reflexartig an zu zucken und ich konnte der Versuchung nicht widerstehen. Mit fieberhaften Händen öffnete ich den Reißverschluss.

Den Duft, der mir sogleich entgegenströmte, kannte ich gut, zu gut. Er roch nach komplizierten Brüchen, unlösbaren Textaufgaben und langweiligen Zahlenkolonnen. Ich atmete tief durch. Das war neu, dass eine von Papas Damen gleich eine Markierung à la Carlo setzte, und es verhieß nichts Gutes. Hinterher wusste ich nicht mehr genau, wie ich auf die Idee gekommen war. Aber als ich zehn Minuten später das Badezimmer verließ, war Frau *Süßbitters* Parfümflakon mit Wasser aufgefüllt, ihre Haarbürste voller Körperöl und in ihrem Cremetiegel Zahnpasta.

Schlecht gelaunt schlurfte ich in die Küche, um mir ein Brot zu schmieren. Fürsorglichkeit gehörte nicht zu Omas Stärken, dass sie überhaupt regelmäßig – außer sonntags – für mich kochte, war ihr schon als gnädige Höchstleistung der Barmherzigkeit anzurechnen. Immerhin hatte sie heute frischen Kräuterquark zubereitet und so war ich mitten am Kauen, als Daniel hereinschneite. Er wollte wissen, ob ich mit ihm und Carlo eine Runde übers Feld drehen würde. Immerhin einer, der an mich dachte.

„Was ist denn mit dir, du siehst ja aus wie ausgekotzt!", meinte er nicht gerade freundschaftlich besorgt, als er mich erblickte.

„Das willst du lieber nicht wissen", versuchte ich abzuwiegeln. Aber Daniel kannte mich gut genug, um zu wissen,

dass etwas Bodenumdrehendes passiert sein musste, das mich aus meiner Alicia-Umlaufbahn geschossen hatte. Schließlich sind wir hier draußen auf dem alten Bahnhofsgelände wie Geschwister aufgewachsen und wissen alles voneinander: wie dämlich einer aussieht, der gerade das Gesicht voller Windpockencreme hat, wie eitrig ein aufgeschürftes Knie werden kann und welche Farbe ein Popoloch hat.
Und obwohl es sonst nicht meine Art ist, einfach wie eine Tussi loszuflennen, schossen mir die Tränen in die Augen.
„Was ist denn?“, fragte Daniel, der sich längst am Küchentisch niedergelassen hatte, Carlo schnüffelte neugierig herum. Hoffentlich war Oma Lisa weit genug weg, außer meinen Fischen duldete sie keine Tiere im Haus. Das lag nicht an Daniel, dem sie herzlich zugetan war, obwohl sie mit dessen Mutter Lydia und Opa Georg im nachbarlichen Dauerclinch lag. Ich glaubte vielmehr, dass sie gehörige Angst vor dem imposanten Carlo hatte, was sie natürlich nie im Leben zugeben würde.

„Frag nicht!“ Ich hatte meine Gefühle wieder im Griff und alles wäre auch gut gegangen, hätte Carlo nicht ein bunt gemustertes Tuch angeschleift.
„Hey, was machst du denn …“ Daniel versuchte, es Carlo wegzunehmen, doch der war schon dabei, das Tuch genussvoll durchzukauen. „Ist das nicht …“ Daniel sah mich entgeistert an.
Ich nickte stumm, was hätte ich auch anderes tun sollen. Mir war schon wieder nach heulen, tapfer schluckte ich die Tränen hinunter.

„Kannst du jetzt bitte gehen, bevor Oma kommt, du weißt doch", fügte ich matt hinzu.
„Schon gut, bin sofort weg." Daniel stand geräuschvoll auf, nicht ohne vorher noch seinen Finger in den Kräuterquark gesteckt zu haben. „Ausgerechnet die!", prustete er dann los, während er verzweifelt versuchte, Carlo das Stück Stoff aus dem Maul zu zerren. „Jetzt gib schon her! Die Dame hat einen Tücher-Fimmel, die merkt sofort, wenn eins kaputt ist."
„Du hast gut lachen, was soll ich denn jetzt tun?" Ich zuckte ratlos mit den Schultern und beobachtete seine Bemühungen. Im Gegensatz zu ihm glaubte ich nicht, dass unsere Mathelehrerin ihr Tuch vermissen würde. Die besaß Tausende davon.
„Hättet ihr mal lieber die Mauer trocken gelegt, wie sich das gehört, dann hätte deine Mutter keine Schimmelpilz-Allergie entwickelt und würde heute noch bei euch leben. Aber so …" Daniel verdrehte verächtlich die Augen. Immerhin hatte er es geschafft und hielt den angesabberten-angeknabberten Stoff in den Händen. Ich streckte ihm die Zunge raus.
Die Geschichte mit der Allergie hatte ihm Lydia erzählt. Ihr war es ein Dorn im Auge, dass der Westflügel unseres Anwesens langsam verfiel, und es gab wenig anderes (außer Daniel), was sie mehr interessierte. Schließlich grenzte ihr Haus unmittelbar an diesen heruntergekommenen Teil. Ich konnte ihre Panik vor den Schimmelpilzen gut verstehen und manchmal fragte ich mich, ob ich wohl ebenfalls unter einer Allergie litt. Doch dann

wieder konnte ich mir beim besten Willen nicht vorstellen, dass meine Mutter mich und meinen Vater allein wegen Juckreiz und Atemnot verlassen haben sollte.
„Du kennst dich ja mit Müttern aus“, machte ich ihn an und jetzt war es Daniel, der den Kopf einzog.
Keiner wusste so gut wie ich, wie sehr Daniel unter seiner überfürsorglichen Mutter litt. Frau Peterlic umhegte und pflegte ihn trotz seiner dreizehneinhalb Jahre immer noch wie einen Zweijährigen und schleppte ihn wegen jeder Kleinigkeit zum Arzt, da war sie schlimmer als mein Vater. Daniel *musste* jeden Tag mindestens zwanzig Gramm Petersilie essen (wegen der Eisenzufuhr), eine Kiwi (Vitamin C), einen Becher Joghurt mit rechts drehenden Milchsäurebakterien löffeln (für eine gesunde und florierende Darmflora). Außerdem *musste* er zusätzlich zu seinen Hausaufgaben und den täglichen Spaziergängen mit Carlo mindestens für eine halbe Stunde Klavier üben, lesen, Chinesisch lernen und im Haushalt helfen. Letzteres rieb mir insbesondere Oma Lisa oft unter die Nase. Ein Thema, über das sie gerne lang und breit mit mir diskutierte, während *ich* ihr im Haushalt beim Wäschebügeln, Abwaschen oder Brötchenbacken half.
Ich wollte Daniel gerade noch eine saftige Bemerkung an den Kopf pfeffern, da schleppte Carlo einen roten Spitzen-BH an, den er offensichtlich zwischen den Sofakissen aufgestöbert hatte. Hörten denn diese Peinlichkeiten nie auf?

Wo wohnst Du?

In jedem Reiseführer kann man nachlesen, dass unser Haus alias Bahnhofsgebäude schon über hundertfünfzig Jahre alt ist und aus den Anfangszeiten der Eisenbahn stammt, was garantiert untertrieben ist. Wenn ich mir all die Risse und herruntergefallenen Dachziegel angucke, möchte ich schwören: Es ist mindestens aus dem Mittelalter, wenn nicht gar aus der Steinzeit.
Außerdem steht dort, dass dieser Bahnhof auf der Strecke Frankfurt-Würzburg ein wichtiger Halt war, unsere Stadt also schon damals ein beliebtes Ausflugsziel gewesen ist. Nach dem zweiten Weltkrieg verfiel dann das alte klassizistische Gebäude und konnte nur knapp vor dem Abriss gerettet werden, weil es ein reicher Scheich sanierte, restaurierte und zu einem Hotel umbaute. Die Bahn interessierte sich nicht mehr dafür, sie hatte längst einen neuen, größeren Bahnhof in der Innenstadt gebaut.

Um diese Zeit herum lernte Oma Lisa ihren späteren Mann Günther kennen, einen Hotelier, der sich prompt in das charmante (da ist es wieder) Anwesen verliebte – und es kaufte. Dann kam mein Vater auf die Welt ... und ich! Im Reiseführer steht auch, dass sich im Keller des Gebäudes einer der gefährlichsten Drogenbosse Kolumbiens versteckt gehalten hatte. Über ein Jahr lang soll er dort gelebt haben. Unvorstellbar, vor allem, weil das Hotel ausgebucht war und sich die Gäste gegenseitig die Klinke in die Hand gaben. Diese „Mafia-Wohnung" gibt es tatsächlich, und wer von unseren Gästen zusätzlich fünf Euro zahlt, darf sie sich für eine Stunde angucken, für weitere zwei Euro fünfzig sogar einmal im alten Sessel sitzen und eine (natürlich nicht funktionsfähige) Pistole in die Hand nehmen.

Was nicht im Reiseführer steht: Dieser Drogenboss soll mein Opa gewesen sein, mütterlicherseits, also niemand anderes als der Vater meiner Mutter Gloria, die meinen Papa bei der Gelegenheit kennengelernt hatte. Das erzählt Oma Lisa – wenn keine Gäste in der Nähe sind.

Ein Fieberalbtraum wird wahr

Am Montagmorgen wollte ich mich für immer verstecken und wäre am liebsten nicht in die Schule gegangen. Die Erinnerung an meine nackte Mathelehrerin hatte sich wie ein Sticker auf mein inneres Auge geklebt. Ich hatte die Nacht kaum geschlafen und fühlte mich einfach nur grässlich.

Oma Lisa, die in eifriger Betriebsamkeit im Frühstückszimmer umhereilte und das Buffet bewachte, schenkte mir einen kritischen Blick, als ich mit leidender Miene mein Nutellabrot in mich hineinschob.

„Du wirst mir doch wohl nicht ernsthaft krank?“, fragte sie mehr drohend als besorgt.
Obwohl ich mich regenwurmsterbenselend fühlte, versuchte ich ein Lächeln. „Nee, geht schon!“, beeilte ich mich zu antworten, bevor sie auf die Idee kam, ihre grässliche Medizin hervorzukramen. Da war sie wie Tom Sawyers Tante Polly, nur viel schlimmer. Bis heute habe ich nicht herausfinden können, welch übel schmeckende Zutaten sich in dieser stinkenden Flüssigkeit befanden, von der sie mir beim kleinsten Anzeichen einer Krankheit zwei Esslöffel voll verabreichte. Fakt ist, dass es mir danach sofort wieder besser ging – oder ich lieber gar nicht erst krank wurde.
Also machte ich gute Miene zum blöden Spiel und schleppte mich Richtung Schule. Wir schrieben nämlich in der ersten Stunde einen von Frau *Trauriglustigs* beliebten Zwischendurch-Mathetests und ich hatte die Wahl zwischen Kacke und Scheiße:
Würde ich heute schwänzen, müsste ich nicht nur eine schriftliche Entschuldigung liefern (deren Fälschung ich vielleicht noch unter Aufbietung all meiner kreativen Fähigkeiten hinbekäme), sondern ich würde die Arbeit nachschreiben müssen! Und dann würde ich nicht zwischen dreißig anderen Mitschülern sitzen, sondern alleine mit Frau Gerngemein in einer Extrastunde in einem Extraraum mit einer Extraarbeit sein.
Würde ich den Mathetest einfach hinter mich bringen, würde ich *nur* eine schlechte Note kassieren, eine sehr schlechte sogar, weil ich mich garantiert nicht besonders gut konzentrieren konnte. Allerdings käme ich dann

Papa gegenüber ernsthaft in Erklärungsnöte, weil ich ihm diesen Termin verschwiegen und nicht dafür gelernt hatte. Schließlich lag DIE Fünf schon einige Wochen zurück. Aber was konnte ich dafür, wenn er erstens so lange auf Dienstreisen war und zweitens Oma verboten hatte, meine Arbeiten zu unterschreiben?

Papa hatte ich gestern gar nicht mehr gesehen. Er kam erst spät am Abend laut pfeifend und offensichtlich gut gelaunt von seinem Ausflug nach Hause. Mindestens zwei Stunden lang hatte ich darauf gewartet, dass er an meine Zimmertür klopfte, doch er war sofort in seinem Büro verschwunden. Noch ein Grund, weshalb es mir an diesem Morgen nicht gut ging.

Normalerweise kam er nämlich nach seinen Geschichten mit Kerstin, Sabine, Monika oder Stefanie immer zu mir, erzählte von Italien, wunderschönen, alten Dörfern und einsamen Buchten, von lustigen Begegnungen mit den *gente,* also den Leuten, die er unterwegs kennengelernt hatte. Oft lagen wir eng aneinandergekuschelt auf meinem Bett und träumten davon, gemeinsam einen Gelateria-Reiseführer zu schreiben: In den Sommerferien würden wir durch Sardinen, Sizilien, Elba und Apulien reisen, die besten Eissorten verkosten und strengstens beurteilen. Ganze Rundreisen und drei Bände haben wir auf diese Weise schon durchgeplant.

Gestern Abend hatten wir nicht mehr gemeinsam von *gelati* geträumt und miteinander gekuschelt. Gestern arbeitete Papa bis spät in die Nacht in seinem Büro. Ich hörte sein Papiergeraschel und Tastaturklackern durch die Tür, an der ich heimlich lauschte. Immer ein Zeichen dafür, dass er ernsthaft an einem Projekt arbeitete, was im Zusammenhang mit meiner Mathelehrerin nichts Gutes verhieß. Hoffentlich legte sich das bei ihm ebenso schnell, wie es begonnen hatte, bei meinem Vater wusste man ja nie. Wenn ich Glück hatte, dauerte die Geschichte mit Frau *Primaschlecht* nicht länger als bis zum Valentinstag und wir konnten wieder Reisepläne schmieden. Und hoffentlich hatte Daniel seine Klappe gehalten und niemandem erzählt, dass Carlo ihren Spitzen-BH von unserem Sofa gezerrt hatte.

Ich kam wie immer auf den letzten Drücker in den Klassenraum gehetzt, alle saßen bereits auf ihren Plätzen und niemand sagte einen Ton. Täuschte ich mich oder guckte mich Amal mitleidig an?

„Hey“, begrüßte mich Bibi mit schwacher Stimme und ich wunderte mich über ihren Flüsterton. Sonst hatte sie keine Probleme, sich mitten im Unterricht mit mir über die unmöglichsten Dinge zu unterhalten. „Sie muss noch die Blätter holen, der Kopierer hat einen Papierstau.“ Bibi hielt den Kopf gesenkt und fummelte an irgendwas in ihrem Mäppchen herum. Wieso war sie heute Morgen bloß so komisch? Da erwischte ich einen Seitenblick von Amal, die kirschrot im Gesicht angelaufen war, weil sie sich das Kichern verkneifen musste. Da kapierte ich: Meine Klasse wusste Bescheid.

„Wie war's in der Eissporthalle?“, fragte ich möglichst unbekümmert zurück. Bloß nichts anmerken lassen. „Sorry, ich habe mich gestern nicht so gut …“

Weiter kam ich nicht, denn in diesem Augenblick kam unsere Mathelehrerin in den Klassenraum geweht. Gekicher und Geraune ging durch die Reihen. Bibi neben mir versuchte, sich mühsam zu beherrschen. Frau *Streitfriede* trug ein leicht schimmerndes rotes Gewand, das an einen Morgenmantel erinnerte. Zudem hatte sie ihre blonden Haare lässig mit einem Stift verzwirbelt auf dem Kopf zusammengesteckt, ein leichter Seidenschal umflutete sie. Ich konnte mich nicht erinnern, sie an einem Montagmorgen jemals so frisch und gut gelaunt erlebt zu haben. Neben mir stieß Bibi Schnapplaute aus, mir wurde kotzeschlecht. Was hatte Daniel bloß erzählt?

„Geht es dir nicht gut, Alicia? Du bist so blass …“, fragte Frau *Dämlichschlau* scheinbar besorgt, während sie der Klasse mit einer energischen Handbewegung bedeutete, ruhig zu sein. Die anderen lachten jetzt erst recht, nur Daniel hielt sich zurück, und das wollte ich dem fiesen Verräter auch geraten haben. Ich hasste sie in diesem Augenblick aus vollem Herzen für diese Bemerkung. Egal wie lange sie eine von Papas Kerstins sein würde, diesen Moment würde ich ihr im Leben nicht verzeihen. Der zweite Sticker, der sich auf mein anderes Auge klebte. Mittlerweile hatte sich Bibi neben mir beruhigt, ich dagegen kämpfte mühsam mit dem Brechreiz, mein Magen krampfte sich schmerzhaft zusammen. Atmen, atmen, atmen. Jo verteilte die Arbeitshefte, Daniel die Aufgabenblätter, die wir wie immer umgedreht auf dem Tisch liegen lassen mussten, bis alle so weit waren. Ich versuchte, mich auf die Mathearbeit zu konzentrieren. Gleich würde ich aus diesem Albtraum erwachen, *Roselotte Froboese* wie eine böse Fee aus meinem Leben verschwinden und der alte Bahnhof wieder frei sein von Spitzendessous, Tüchern und Kosmetiktäschchen. Hoffte ich, träumte ich.

Doch der Albtraum nahm kein Ende. In der Pause standen sofort alle um mich herum und bohrten mir Fragen in den Bauch.

„Hat sie wirklich nackt auf eurem Sofa gesessen?", wollte Bibi wissen und fing schon wieder an zu kichern.

„Welches Label hatte denn ihr BH?", fragte Jo, die sich für solche Angelegenheiten brennend interessierte.

„Stimmt es, dass sie mit ihren Stiefeletten eure Dielen ruiniert hat?" – „Wann zieht sie ein?" – „Wird sie jetzt deine neue Mutter?" – „Du hast Glück! Ab heute musst du dir nie mehr Sorgen um deine Mathenote machen!"

Fragen über Fragen prasselten auf mich ein. Hinterher wusste ich nicht mehr, wie ich diesen Vormittag überlebt hatte. Ich erinnerte mich nur daran, dass ich heulend auf dem kaputten Klodeckel der Mädchentoilette saß und Papa samt seiner Frauengeschichten verfluchte. Außerdem war ich tief enttäuscht von Daniel. Was fiel ihm ein, in der Schule brühwarm herumzuerzählen, was Carlo aufgestöbert hatte! Irgendwie habe ich es dann in den Schulbus geschafft und bin nach Hause gefahren, wo mich Oma Lisa mit einem mürrischen Gesicht begrüßte. Um den katastrophalen Tag perfekt zu machen, war das letzte Glied des Heizkessels geborsten. Das bedeutete im Klartext eine riesige Schweinerei im Keller, wo brackiger Wasserdampf Wände und Wäsche kackbraun färbte, tiefgekühlte Wohnräume und entsprechend übel gelaunte Gäste, die sich in einer Tour bei Oma Lisa beschwerten. Schon lange galt unsere Heizungsanlage als hoffnungslos marode, nur hatte sich Oma Lisa bisher standhaft geweigert, auch nur einen Euro in Reparaturen zu investieren. Und weil sie nicht gerade dafür bekannt war, ihre Rechnungen zuverlässig zu bezahlen, hatte der Installateur erst Stunden später auf ihren Anruf reagiert. Einen neuen Heizkessel zu installieren, würde bis zu zwei Wochen dauern. Entsprechend lag Omas Lisa Laune tief unter dem Gefrierpunkt, zumal sich mein Vater für heute einen freien Tag genommen hatte, um etwas *Schönes* zu unternehmen, wie sie mir mit genervter Miene erzählte.

„Ich fühle mich nicht so gut, ich lege ich mich ins Bett", versuchte ich, mich aus dem Staub zu machen, bevor sie auf die Idee käme, mich Holz für den Kachelofen aus dem Verschlag holen zu lassen. Zum Glück gab es den noch und auf diese Weise würde immerhin die Wohnstube warm bleiben.

„Jaja, geh nur und lass mich mit all dem Elend alleine", seufzte sie theatralisch. „Du wirst schon sehen, was du davon hast, wenn eines Tages gar keine Gäste mehr hierherkommen."

„Dann habe ich immerhin meine Ruhe", antwortete ich frech, bevor ich die Tür hinter mir ins Schloss knallen ließ. Fix stellte ich meinen Heizlüfter auf die dritte Stufe und gratulierte mir zum wiederholten Male zu dieser grandiosen Idee. Im Gegensatz zu den restlichen Bewohnern des Hauses hatte ich es jetzt hier oben warm und gemütlich –

und zwar allein! Eigentlich hatte Daniel ja den Apparat zuerst auf dem Sperrmüll entdeckt und ihn für unsere Meisterbude haben wollen, damit sein Zufluchtsort auch im Winter bewohnbar bliebe. Doch ich hatte mir das Dings nicht nur schneller unter den Nagel gerissen, sondern zudem auch behauptet, es wäre sowieso kaputt. In Wahrheit war nur das Kabel stellenweise brüchig, aber mit Klebeband hatte ich das längst wieder hingefummelt. Seufzend schmiss ich mich aufs Bett, um meine missliche Lage ausführlich zu überdenken.

Warum hatte ich für Mathe nicht besser gelernt und so eine miserable Note geschrieben? Warum hatte ich Papas Unterschrift nicht gefälscht? Und mit Daniel, dem alten Wichtigtuer, hatte ich auch noch einen Strauß zu rupfen. Was dachte er sich nur dabei, den anderen brühwarm zu berichten, dass mein Vater eine Affäre mit unserer Mathelehrerin hatte? Jetzt würden alle denken, dass ich auf diese Weise eine bessere Note bekommen wollte. Die Geschichte würde auf dem Schulhof die Runde machen – wie sollte ich mich jemals wieder dort blicken lassen? Nein, es blieb mir nichts anderes übrig, als die nächsten Wochen bis zu den Osterferien krank im Bett zu bleiben und zu hoffen, dass meine Mitschüler die Sache danach vergessen hatten.

Ich musste eingeschlafen sein, denn als mich Oma Lisa zum Abendessen rief, war es draußen längst dunkel. Das Zimmer war bullig warm, ich fühlte mich wie ausgebrütet und kam nur mühsam auf die Beine.

„Hallo, meine Süße, da bist du ja!“, begrüßte mich Papa unten an der Treppe, als sei nichts gewesen. Als hätte

er nicht mal eben mit seinem hemmungslosen Herumgeknutsche mein gesamtes Leben auf den Kopf gestellt.
Er umarmte mich flüchtig. „Oje, du glühst ja!“ Besorgt fasste er mir an die Stirn. Ich ließ mich willig in seine Arme gleiten und an den Esstisch führen. Dort waren bereits einige Feriengäste versammelt und stießen offensichtlich zum wiederholten Male auf die behagliche Gemütlichkeit an, die der alte Kachelofen verströmte. Ich schloss die Augen und ließ mich an Papas Schulter sinken, wie durch Watte hörte ich noch die Worte „Fieber“, „Bett“ und „morgen keine Schule!“. Ich konnte mich noch nicht einmal darüber freuen, so elend fühlte ich mich, und war froh, als ich kurz darauf wieder in meinem Bett lag.
Obwohl mir in der Woche darauf Oma Lisa jeden Tag zwei Löffel Bittermedizin verabreichte, wollte das Fieber einfach nicht weichen. Papa saß besorgt an meinem Bett, telefonierte mit dem Arzt, machte Wadenwickel und gab mir zwanzig Tabletten am Tag. Der Heizlüfter lief nonstop auf Stufe zwei. Vielleicht war das auch der Grund, weshalb Papa ständig bei mir war, denn die Heizung funktionierte immer noch nicht und etliche Gäste waren unter Protest abgereist. Zwischendurch verschwand mein Vater immer mal wieder für ein paar Stunden, um zu arbeiten. Ich glaubte ihm nicht, in Wahrheit traf er sich garantiert mit seiner *Roselotte*.
In meinen Fieberträumen begegnete sie mir mal als flatterhafter roter Käfer, mal als Heizkessel auf zwei Beinen oder ich musste hilflos mit ansehen, wie ein überdimensionaler roter BH vom Himmel auf mich herabwehte.

Schweißgebadet wachte ich schreiend auf, froh darüber, dann alleine in meinem Bett zu sein.
Am vierten Tag meiner Erkrankung kam Daniel. Er hatte sich heimlich fortgeschlichen, Krankenbesuche duldete seine Mutter aus Angst vor Ansteckungsgefahr natürlich nicht, aber er hatte mir eine Tafel Schokolade mitgebracht.
„Und wenn du fünfzig Tafeln anschleppst, das kannst du nie wiedergutmachen", fauchte ich ihm entgegen, als er durch die Zimmertür hereingeschlichen kam, was eindeutig ein schlechtes Gewissen signalisierte. Normalerweise kam und ging er, wann er wollte, ohne anzuklopfen, durfte sich unter Oma Lisas wohlwollenden Blicken Schokohörnchen oder Nutella vom Frühstücksbuffet klauen (ich erntete immer fette Stirnrunzler) und im Gegensatz zu mir im Gemeinschaftszimmer Ewigkeiten fernsehen.
„Sorry, das habe ich nicht gewollt", sagte Daniel und pflanzte sich breit auf meinen Schreibtischstuhl. „Ich habe Bibi nur erzählt, dass dein Vater offensichtlich eine sehr private Elternsprechstunde mit unserer Mathelehrerin hatte."
„Na super! Bist du so blöd oder tust du nur so? Du weißt genau, dass Bibi ihren Plappermund nicht halten kann", antwortete ich matt. „Hast du ’ne Ahnung, wie beschissen es mir jetzt geht?"
„Es tut mir leid", murmelte Daniel. „Ich habe sie schwören lassen, dass sie nichts von dem Spitzen-BH erzählt." Seiner Stimme hörte ich an, dass er sich das Kichern schon wieder nicht verkneifen konnte.
„Doofmann!" Ich schmiss ein Kissen nach ihm.

Welche Hobbys hast Du?

Wenn man wie ich ohne Geschwister bei einer schrulligen alten Oma aufwächst, gewöhnt man sich zwangsläufig seltsame Ticks an. Bei mir sind das zum Beispiel diese:
Ich spiele vorm Schlafengehen auf meiner Gitarre „Hejo, spann den Wagen an“ (langweiliger Lagerfeuerklassiker, wie Bibi sagen würde).
Ich füttere meine Fische blättchenweise, weil ich gerne zugucke, wie das Futter im Wasser schwebt.
Ich habe die Angewohnheit, aus Gummis, Bändern oder sogar Drähten verrückte Knotenstricke zu knüpfen. Wo immer ein paar Fäden herumliegen, habe ich sie schon in der Hand und fummle sie fix zusammen. Armbänder, Schlüsselanhänger, Figuren, ich habe eine komplette Sammlung in der Meisterbude. Am Anfang habe ich mir noch von meinem Taschengeld diese Kunststoffbänder gekauft, aber dann habe ich bald gemerkt, dass Scoubidou mit anderen Materialien noch viel witziger ist. Vorausgesetzt, die Schnüre reißen

nicht, was mit Grashalmen oder Bast schon mal passieren kann.
Ich sammle besondere Dinge in einer alten Schachtel.
Ich übersetze Liedtexte und schreibe sie in mein Songbook.
Ich denke oft an meine Mutter, stelle mir vor, wo sie gerade ist, was sie gerade tut, welche Kleider sie gerade trägt, ob sie auch gerne Handarbeiten mag oder zwei linke Hände besitzt. Und wie sie eines Tages plötzlich vor der Haustür steht, mich in ihren Arm zieht und gut duftet.
Ich bin gerne alleine.

Picknick für Anfänger

Genau zehn Tage schaffte ich es, im Bett liegen zu bleiben und Fieberkrämpfe zu simulieren, dann hatte ich die Nase vom Krank- und Traurigsein rotzevoll. Papa war längst wieder auf Reisen, ein Hoffnungsschimmer am trüben Winterhorizont, denn in Bella Italia mit viel Arbeit und *gelati* würde er seine Affäre mit meiner Mathelehrerin ganz schnell vergessen und bald wieder nur mit mir kuscheln. Zum Glück war auch die Heizung repariert worden und Oma Lisa hatte folglich wieder bessere Laune.

Der Schnee aber blieb, Gäste kamen und gingen und auch ich musste irgendwann wieder in die Schule. Missmutig saß ich im Unterricht, versuchte, die vielen neugierigen Blicke an mir abprallen zu lassen, und gab mir Mühe, in Mathe keine Sechs zu schreiben. War der Unterricht bei Frau *Freundlichkack* schon immer schrecklich chaotisch gewesen, wirkte sie jetzt noch fahriger und gestresster als sonst. Dafür waren ihre Klamotten um einiges enger und tiefer ausgeschnitten. Sie flippte bei jeder Kleinigkeit aus, verteilte Strafarbeiten hoch drei und jeder von uns hatte mindestens einen Eintrag wegen Lautseins. Auch wenn ich mir die größte Mühe gab, nicht aufzufallen und keine Streiche zu spielen, hatte sie insbesondere mich auf dem Kieker.
„Wenn sie frisch verliebt ist, müsste sie doch fliegen vor Glück und uns allen eine Eins geben", lästerte Bibi. „Oder ist dein Vater wieder mal auf Dienstreise?" Sie guckte mich vielsagend an. Als meine Freundin wusste sie Bescheid und hatte sich längst bei mir dafür entschuldigt, dass sie die verrückteste Lovestory aller Zeiten herumposaunt hatte.

Leider war mein Vater gestern bereits wieder zurückgekehrt und hatte sich mit meiner Mathelehrerin getroffen. Das gefiel mir nicht.
„Wahrscheinlich hat sie Stress mit ihrem Ex", machte Bibi weiter.
„Woher weißt du das denn schon wieder?" Wir liefen gemeinsam über den Schulhof auf der Suche nach einer schneefreien Ecke.
„Ach, ich habe zufällig gehört, wie sie der Tuszynski vorm Lehrerzimmer davon erzählt hat", meinte Bibi und

biss in ihr Salamibrot. „Offensichtlich hat sie Schwierigkeiten mit ihrem Jüngsten, seit ihr Ex ausgezogen ist."
„Sie hat KINDER?", brachte ich tonlos über die Lippen. Bisher hatte ich unsere Mathelehrerin für eine supersexy, männermordende Einzelgängerin gehalten. Aber nicht für eine alleinerziehende Mutter, die auch noch Mathematik lehrte. Das erklärte einiges. Beispielsweise die Schokoflecken auf ihrem Glitzer-Pulli oder ihren überstürzten Aufbruch neulich nach dem Eingang einer SMS auf ihrem Handy, das sie immer griffbereit auf dem Pult liegen hatte.
„Sie hat drei."
„Nee, oder? D-r-e-i! Sag das noch mal."
„Zwei leibliche und einen Adoptivsohn. Tja, wenn die beiden ernst machen, hast du plötzlich Geschwister!"
Wie aus dem nichts war Daniel neben uns aufgetaucht, seinen neugierigen Salatblätterohren entging wie immer nichts. Während er mir aufmunternd auf die Schultern klopfte, lächelte er Bibi an, die daraufhin zart errötete.
Hilfe! Wo war das Loch, in dem ich verschwinden konnte? Blieb mir denn nichts erspart? Am liebsten würde ich die Schule für immer schwänzen und eine Gelateria auf Sizilien eröffnen. Aber jetzt, da Papa zu Hause war, hatte ich keine Wahl. Er hatte ein strenges Auge auf mich und meine Mathenote geworfen, achtete auf meine Fortschritte in Sachen Daniel-Nachhilfe und war erst zufrieden, als ich eines Tages wieder eine normale, langweilige, durchschnittliche Drei nach Hause brachte. Da hatten wir schon Ende März und er küsste *Roselotte* immer noch. Also war sie mehr als nur eine Kerstin für ihn.

„So geht das nicht weiter, *Alitschia!*", sagte Papa eines Abends und der Ton seiner Stimme verhieß nichts Gutes dabei. „Rosa findet auch, dass ihr euch endlich versöhnen solltet …"
Wie bitte? Rosa?! Hatte er wirklich *Rosa* gesagt? Auf Italienisch! Dabei rollte er das „R" rassig-südländisch und ließ das „O" auf der Zunge tönen. Mir sank das Herz in die Hose. Es kam, wie es kommen musste.
„Sie kann verstehen, dass du verwirrt bist, aber sie möchte gerne selbst mit dir reden." Papa lächelte mich aufmunternd an. „Deswegen treffen wir sie am kommenden Sonntag zu einem gemeinsamen Picknick!"

Am Sonntag strahlte Papa mit der Sonne um die Wette – und ich hatte kellermiese Laune. Was er mir verschwiegen hatte: Bei diesem Picknick traf ich nicht nur auf *Rosa,* sondern auch auf ihre Kinder. Und dieses Treffen wurde das Peinlichste, was ich je erlebt habe.
Papa hatte sich mit ihr am Steinbrücker Teich verabredet, einem Freizeitgelände, wo man Boot fahren, Minigolf spielen und Pony reiten konnte. Die beiden dachten wohl, ich würde sie dafür aus lauter Dankbarkeit knutschen, doch aus dem Alter war ich leider raus. Auch *Roselottes* Kinder schienen keine Lust auf die Veranstaltung zu haben, zumindest sahen die beiden nach schlechter Laune aus. Moment mal, hatte sie nicht drei? Aber hier standen nur ein Mädchen, etwa ein Jahr älter als ich, und ein kleiner farbiger Junge, ich schätzte ihn auf acht.

„Na, dann …“ Meine Mathelehrerin räusperte sich tausend Frösche aus dem Hals, während wir uns alle unschlüssig gegenüberstanden und nicht wussten, wohin mit unseren Händen und Blicken. Entgegen ihres sonstigen Stylings trug sie heute einen langen, weich fallenden Rock und sah in ihrem Schlabberhemd überhaupt nicht mehr supersexy aus. Eine Lehrerin auf Urlaub oder wie war das zu verstehen? Mein Vater trat unruhig von einem Bein aufs andere, er brachte kein Wort hervor.

„Hey, ich bin Lynn. Philipp konnte nicht mitkommen, weil er ein Austauschjahr in den USA verbringt“, plapperte das hochgewachsene Mädchen einfach drauflos und ich dachte bei mir: Zwei von der Sorte sind immer noch zu viel. „Wenn unsere Eltern das nicht hinkriegen, müssen wir eben selbst ran.“ Schlitzig lächelnd hielt sie mir ihre Hand hin, aber nur, um sie sofort wieder zurückzuziehen, als ich reflexartig einschlagen wollte. Beinahe wäre ich darauf reingefallen, sie nett zu finden, weil sie so schöne, lange blonde Haare hatte. „Um es gleich zu sagen: Ich habe null Bock auf diese Veranstaltung! Ich war hier, hab dich und deinen Vater kennengelernt. Und jetzt kann ich wieder gehen.“ Schon wollte sich diese Lynn auf ihren schicken Peep-Toes wegdrehen, doch Roselotte hielt sie fest.

„Hiergeblieben, junge Dame“, sagte sie in ihrem ärgerlichsten Lehrerinnen-Ton und ich konnte mir ein Kichern kaum verkneifen. *Junge Dame!* Wie blöd war das denn? „Ich dachte, wir hatten das klar besprochen!“ Sie schaute ihre Tochter durchdringend an, doch die rollte nur genervt die Augen, ihre Kaugummiblase machte ein verächtliches *Plopp!*. Dann stülpte sich Lynn demonstrativ knallgrüne Monsterbeats über die Ohren und pflanzte sich auf die ausgebreitete Picknickdecke, wo sie in aller Ruhe und Ausführlichkeit ihre SMS checkte und fortan so tat, als wären wir anderen Luft.

„Also, häm, häm, meine Tochter Alicia, häm, häm, kennst du ja schon häm, häm“, brachte mein Vater verlegen grinsend an Roselotte gewandt hervor. Er hatte seine Hände auf meine Schultern gelegt, offensichtlich wollte er verhindern, dass ich ebenfalls die Biege machte. Mir wäre sehr danach gewesen. Zu meiner großen Erleichterung nickte mir meine Lehrerin nur freundlich zu und sagte – nichts.

„Und du bist Yaris, richtig?“, fuhr mein Vater fort. „Rosa hat mir schon viel von dir erzählt. Ich bin der Leonard. Was geht ab, Großer, *gimme five.*“

Yaris blickte meinen Vater mit seinen großen Kulleraugen erstaunt an. Ohne Frage, mein Vater benahm sich wirklich hochnotoberpeinlich. Ich selbst hätte mich am liebsten sofort und ohne Umwege nach Nowaja Semlja gebeamt. Freiwillig, obwohl es dort schweineklirrekalt war und die Sonne nie schien. Wo hatte er das nur aufgeschnappt: *gimme five!?*

„Geht klar“, antwortete Yaris, ließ aber die Hände demonstrativ in seinen Hosentaschen stecken. Ich versuchte ein scheues Lächeln in seine Richtung, er sollte bloß merken, dass ich für meinen Vater nichts konnte. Außerdem fand ich den kleinen Kerl superniedlich. Doch Yaris hatte sich bereits zum üppig gefüllten

Picknickkorb gedreht, um seiner Mutter beim Auspacken zu helfen. Rosa zauberte Brezeln aus einer Tüte, präsentierte Obstspieße, Würstchen im Schlafrock, Minikäse und stellte bunte Plastikbecher für Getränke hin. Wie für einen Kindergeburtstag.

„Kindergeburtstag", schnaubte ich verächtlich, um auch mal etwas zu sagen. Doch niemand nahm Notiz von mir. Papa nicht, weil er damit beschäftigt war, den mitgebrachten Prosecco zu öffnen. Seine Angebetete nicht, weil sie kichernd wie ein kleines Mädchen dabei zusah und ihm die Gläser hinhielt, Lynn nicht, weil sie telefonierte, und Yaris nicht, weil er laut lärmend Richtung Eiswagen abdüste, um die von Rosa erbettelten Euros in Schokoladeneis umzutauschen.

Um auch etwas Sinnvolles zu tun, kramte ich mein Smartphone aus der Hosentasche und tippte mit wichtiger Miene darauf herum.

„Hast du etwa einen Freund?", fragte Lynn neugierig, die ihre Augen offensichtlich überall hatte.

„Geht dich gar nix an", antwortete ich und drückte auf *senden*. Daniel würde sich wundern, dass er eine SMS von mir erhielt. Er war heute mit Carlo auf dem Hundeplatz, um für den Hundeführerschein zu trainieren. Eigentlich hatte ich versprochen mitzukommen.

„Schon okay, reg dich ab." Lynn rollte die Augen. Sie war mittlerweile aufgesprungen und neben mich getreten. Ihr Lidstrich saß perfekter als der von Bibi, wie ich anerkennend bemerken musste, weshalb sie älter wirkte, als sie wahrscheinlich war.

„Klar, von so was hat 'n Baby wie du natürlich keine Ahnung!", ätzte sie weiter. Wieder ploppte eine Kaugummiblase, wieder verzog sie verächtlich das Gesicht.

„Aber du, was?", rutschte mir heraus. Ich versuchte, ruhig zu bleiben, innerlich brodelnd wie ein Vulkan. Diese Lynn hatte meinen wunden Punkt getroffen. Bibi war ja schon lange an mir dran und meinte, ich solle mich modischer stylen und mir die Haare färben und nicht immer in diesen langweiligen, praktischen Outdoor-Klamotten herumlaufen. Aber nur, weil alle so aussahen, verhunzte ich mir doch nicht meine Haare mit Chemie und gab mein gesamtes Taschengeld für Beautykram aus! Und in enge Hosen passte ich nicht hinein, ganz einfach, weil ich leicht runde Hüften und sportliche Beine hatte. Womöglich sollte ich wie so ein Hungermodel mal eben fünf Kilo abspecken?!

Bibi meinte nach solchen Gesprächen immer, kein Wunder, dass sich niemand in mich verlieben würde. Womit wir wieder bei ihrem Lieblingsthema waren und sie die Gelegenheit nutzte, mir ausgiebig von Daniel vorzuschwärmen, für den sich ihr Herz mittlerweile „aber so was von glasklar" entschieden hatte, nicht nur wegen des Glücksorakels in der Zeitschrift.

Hinterher wusste ich nicht mehr, was mich geritten hatte, aber ich hörte mich plötzlich zu Lynn sagen: „Daniel und ich feiern heute unseren einjährigen Kennlerntag, deswegen kann ich leider nicht so lange bleiben. Er hat mich nämlich zu einem Candle-Light-Dinner eingeladen." Obwohl ich mich wie Bibi persönlich anhörte, fand ich mich großartig.

„Ach ja? Ich übernachte heute bei meinem Freund, wenn du verstehst, was ich meine!“, antwortete Lynn schnippisch und ich glaubte dieser Schminkmaske kein Wort. Tussis wie sie wollten einfach nur angeben.
„Danke schön, so genau wollte ich es gar nicht wissen“, ätzte ich zurück. Wenn die mir so kam, das konnte ich auch, schließlich war ich bei Oma Lisa durch eine harte Schule gegangen.
„Na, habt ihr euch schon angefreundet?“ Papa war zu uns getreten und reichte jeder von uns einen Becher Saft. Zum Glück fragte er nicht: Spielt ihr schön?
„Ist es nicht herrlich hier?“ Roselotte hatte es sich auf der Decke gemütlich gemacht und strahlte über ihr ganzes Gesicht. Wie konnte sie nur so tun? Hatte sie denn unsere peinliche Begegnung komplett vergessen?
„Super“, murmelte ich. Wo war ich da nur hineingeraten! Wäre ich bloß zu Hause geblieben! Doch ausgerechnet heute hatte Oma Lisa nicht darauf bestanden, dass ich ihr helfen sollte. Sie war nicht mitgekommen, weil sie unbedingt die Kellerwände streichen wollte, die seit der Heizkesselexplosion dunkelbraun gesprenkelt waren. Von wegen! Garantiert hatte sie keine Lust, Papas Neue kennenzulernen. Und außerdem war sie mit ihren einundsiebzig Jahren zwar äußerst agil und rüstig, aber zum Leiterklettern nur bedingt zu gebrauchen.
„Wollen wir gleich ein Ruderboot mieten?“, fragte Papa gut gelaunt in die Runde. „Bei so einer gemeinsamen Aktion kann man sich richtig gut kennenlernen.“ Er schaute Lynn und mich erwartungsvoll an. Ich tat ihm nicht den Gefallen, mich zu freuen.

„Kein Bock", maulte ich und rekelte mich demonstrativ auf der Decke.

„Wie wäre es mit einem Tretboot, das ist viel cooler!" Lynn war mit einem verächtlichen Seitenblick auf mich aufgesprungen und strahlte meinen Vater an. „Komm, gehen wir die Lage checken!"

Ich fasste es nicht: Sie hakte meinen Vater einfach unter und zog ihn Richtung Bootssteg. Ich schickte den beiden wütende Giftblicke hinterher. Was fiel der ein? Und was fiel Papa ein, mich hier einfach alleine mit Rosa sitzen zu lassen? Damit sie ja nicht auf die Idee kam, mir ein Gespräch aufzuzwingen, stand ich auf und schlenderte auf der Wiese herum.

Da kam mir Yaris entgegengerannt. „Pass!", rief er fröhlich und schoss mir seinen Ball vor die Füße.

„Selber!", rief ich, kickte den Ball mit voller Wucht Richtung Nirgendwo zurück – und traf exakt das Schokoladeneis in seiner Hand, das erst auf seinem Shirt und von dort im hohen Bogen auf der Wiese landete.

Um es kurz zu machen:

…

…

…

Ich musste mich von allen für meinen „Volltreffer" auslachen lassen.

Ich musste Yaris für drei Euro von meinem Taschengeld ein neues Eis kaufen.

Ich musste mir von Papa anhören, dass ich gefälligst in öffentlichen Parkanlagen nicht herumzukicken habe.

Das war der Moment, in dem ich sie alle einfach stehen ließ, ohne Tschüss zu sagen. Wütend stieg ich in den Bus nach Hause, wo mich eine erstaunte Oma Lisa begrüßte.
„Na, war's nicht schön?", fragte sie scheinheilig mit rosigen Wangen, offensichtlich hatte sie ein Nickerchen gemacht und nicht gestrichen.
„Papa ist sooo ungerecht", rief ich ärgerlich. „Da macht er einen auf Großfamilie und dann stellt er mich vor allen bloß!" Schnell erzählte ich ihr, was geschehen war. Anstatt mich in Schutz zunehmen, hatte er mich vor allen anderen niedergemacht. Dabei hatte ich Yaris doch nicht mit Absicht das Schokoeis aus der Hand gekickt! „Das nächste Mal denkst du gefälligst vorher darüber nach, was du tust!", hatte Papa mich angeschnauzt, während er Lynn die Hand reichte, um ihr galant ins Boot zu helfen. So ein Doofmann!
„Großfamilie?" Täuschte ich mich oder musterte mich Oma Lisa gerade besonders aufmerksam. „Sag das noch mal."
Mir stockte der Atem. Was hatte ich da gerade gesagt?
Sie grinste mich breit lächelnd an. „Bei deinem Vater weiß man nie!" Offensichtlich schien sie mit seiner neuen Liebschaft weit weniger Probleme zu haben als ich.
Dieses „weiß man nie" ließ mich den restlichen Nachmittag nicht los. Unruhig lief ich im Haus auf und ab. Um mich abzulenken, machte ich mein Aquarium sauber, befreite gründlich die Scheiben vom Algenbelag und wusch sogar die Kieselsteine. Meine Guppys waren schon über drei Jahre alt und ich überlegte mir gerade, ob ich mir ein paar Schleierschwänze oder wenigstens Neons dazukaufen sollte, da hörte ich unten in der Wohnküche

Stimmen. Neugierig lauschte ich am Türspalt, als Papa auch schon meinen Namen rief.
„Alicia, kommst du bitte mal runter?“ Er hörte sich gut gelaunt an. Offensichtlich war er nicht mehr sauer, dass ich unseren schönen, gemeinsamen Ausflug vorzeitig abgebrochen hatte.
Möglichst langsam und unbeteiligt schritt ich die Treppe hinunter. Er sollte bloß nicht merken, dass ich vor Neugier brannte und wissen wollte, warum er Roselotte, Lynn und Yaris im Schlepptau hatte, die unschlüssig in der Wohnküche herumstanden. Oma Lisa werkelte am Herd.
„Überraschung“, rief Lynn mit gespielter Freude, als sie mich erblickte.
Ich murmelte nur ein „Die schon wieder“ und erntete prompt einen finsteren Blick von Papa.
„Also, ihr Lieben, jetzt, da wir uns alle endlich kennengelernt und diesen wunderschönen Frühlingstag miteinander verbracht haben“, er zwinkerte Lynn verschmitzt zu, boxte Yaris kumpelhaft in die Seite, bevor er fortfuhr und Roselotte in seinen Arm zog. „Jetzt ist es an der Zeit, euch allen etwas mitzuteilen.“ Papa sah plötzlich sehr feierlich aus und ich befürchtete das Schlimmste. „Also … Mensch, Rosa, sag du doch auch mal was!“
„Mmh, ja, was euch Leonard sagen möchte, ist … dass … wir möchten zusammenziehen!“ Sie lachte erleichtert und wuschelte Yaris durch seine Lockenkrause. „So, jetzt ist es raus!“
„WAS?!“, schrien drei Stimmen unisono. Oma Lisa hatte sich überrascht umgedreht.

„Wie kannst du nur", fauchte Lynn. Sie guckte ihre Mutter vorwurfsvoll an, Tränen in den Augen.
„Liebes, du weißt doch …", warf Roselotte mit sanfter Stimme ein.
„Gar nichts weiß ich!"
„Dabei war das heute so schön mit uns", fügte mein Vater leise hinzu und ich hätte kotzen mögen, als er Lynn dabei sanft über die Schulter strich.
„Gib ihr etwas Zeit, das wird schon", sagte Roselotte. „Und du auch, Alicia! Wenn wir erst mal alle gemeinsam hier unter einem Dach wohnen, gewöhnen wir uns aneinander, wirst schon sehen."
Wie bitte? Hatte sie gerade *hier* gesagt?! Lynn und ich wechselten einen erschrockenen Blick. Aber nur für einen kurzen Moment. Dann starrten wir uns wieder feindselig an. Yaris kuschelte sich eng an Roselotte, er hatte offensichtlich die geringsten Probleme mit dem, was uns die beiden da gerade eben eröffneten, dabei war es für ihn ja *NOCH* eine NEUE Familie mehr. *Zusammen unter einem Dach wohnen.* Mein Gehirn brauchte eine Weile, um diese Meldung zu verarbeiten.
„Aber wie soll das gehen? Die können hier doch nicht einfach so einziehen?" Ich blickte erst Oma Lisa, dann meinen Vater flehentlich an.
Doch der stand nur da, breitete grinsend die Arme aus und rief über das ganze Gesicht strahlend: „Ich bin der glücklichste Mann auf der Welt!"
Oma Lisa lächelte.

Schreibe über Deine Familie

Weihnachten, Ostern und Geburtstage sind die grässlichsten Tage im Jahr, und zwar genau in dieser Reihenfolge. Weil mir dann nämlich meine Familie, genauer gesagt: Nicht Familie, so richtig bewusst wird. Was die einen zu viel haben, habe ich zu wenig. Wenn Bibi über dosenweise Plätzchen und Besuchsmarathon an den Feiertagen und die damit verbundenen Kalorien und öden Gespräche jammert, kann ich das ebenso wenig verstehen wie ihren Geschenkeberg unterm Weihnachtsbaum. Für mich gibt es an Weihnachten ein Buch, zwei Hosen und drei Pullis sowie einen Extrakuss von Papa. Oma Lisa schenkt mir einen Geldschein für mein Sparschwein, wobei sie streng darauf achtet, dass ich ihn auch ja reintue und nicht später ausgebe. Während in anderen Familien an Heiligabend alle gemütlich zusammensitzen, bedeutet das bei uns eine Stunde Würstchen mit Kartoffelsalat, danach Bescherung, dann geht Oma Lisa schlafen und Papa zu Kerstin, Sabine, Monika oder Stefanie. Nachdem Oma Lisa meinem „Ihr Kinderlein kommet" auf der Gitarre nur halbherzig zuhört, habe ich mir in den letzten zwei Jahren angewöhnt, an diesem Abend alleine und nur für mich Weihnachtslieder zu spielen, und zwar in der rockigen Version; ich improvisiere eben gerne. Am ersten Feiertag bin ich immer bei Daniel, Lydia und Opa Georg eingeladen, zur traditionellen Weihnachtsgans mit Rotkohl und Klößen. Da genieße ich das volle Programm inklusive Christstollen, Nachmittagsspaziergang und „Der kleine Lord" im Fernsehen und fühle so etwas wie Weihnachten.

Um es noch mal klar zu sagen: Ich finde es nicht schlimm, alleine zu sein. Aber die Vorstellung, dass überall auf der Welt alle Menschen gemeinsam Weihnachten feiern, nur wir nicht, macht mich traurig. Wenn ich mich dann zu einsam fühle, versuche ich schnell, an meine Mutter zu denken, die garantiert irgendwo auf der Welt sitzt und darauf wartet,

endlich zu mir zurückzukehren. Weil sie mich liebt und mich nicht vergessen hat.
Ostern fällt bei uns aus wegen ist nicht, wie Oma Lisa immer sagt, denn an diesen Tagen hat sie Hochsaison im Gästehaus und Papa ist meistens unterwegs, weil Ferienzeit nun mal Reisezeit ist. Mir macht das insofern etwas aus, weil ich in meinen Schulferien helfen MUSS und meistens so tolle Sachen machen darf wie Gartenmöbel schleppen, putzen, den Grill säubern oder Rasen mähen.
Mein Geburtstag dagegen ist richtig gut, weil sich Papa an diesem Tag immer freinimmt und mit mir ins Grüne fährt. Konkret heißt das, drei Orte weiter in den Odenwald, wo es in einem Biergarten Kochkäs' und Schnitzel bis zum Abwinken gibt. Eine richtige Geburtstagsparty mit Motto-Einladungskarten und Geschenktütchen, wie Bibi sie veranstaltet, habe ich noch nie gefeiert.

Ein Schock kommt selten allein

Nach ihrem feierlichen Geständnis hatten uns Rosa und Papa genau zwei Tage Zeit gegeben, um den Schock zu verarbeiten. Dann hatten sie erneut Yaris, Lynn, Oma Lisa und mich zusammengetrommelt, um uns am langen Esstisch ihre Umbaupläne zu erörtern.

„Die kurze Version lautet: Drei Monate Stress und danach wird alles so schön wie nie", begann Rosa fröhlich, die, seit sie mit meinem Vater zusammen war, nur noch lange Röcke und keinen Lidstrich mehr trug und sichtlich aufblühte. Was man von mir nicht gerade behaupten konnte.

Ich litt zunehmend unter dem Gespött meiner Mitschüler, und selbst wenn mir Bibi und Amal Mut zusprachen, wusste ich: Auch sie lachten sich insgeheim halb tot darüber, dass ausgerechnet unsere unbeliebte, chaotische Mathelehrerin bei mir demnächst als *Stiefmutter* einziehen würde. Zum Glück waren bald Osterferien und danach würden sie die Sache hoffentlich vergessen haben.
„Die ausführliche Version ist etwas komplizierter", ergänzte mein Vater seufzend, in Erwartung des anstehenden Protestes. Er machte eine kleine, dramatische Pause, aber Lynn und ich taten ihm nicht den Gefallen. Als ob wir uns abgesprochen hätten, saßen wir mit verschränkten Armen da und starrten die beiden finster an. Yaris war nach draußen entwischt und tobte im Garten mit Carlo herum, der froh war, endlich einen neuen Spielkameraden gefunden zu haben. Oma Lisa hatte sich auf ihren Lieblingssessel zurückgezogen und verfolgte das Geschehen aus demonstrativer Distanz, aber sie schien den bevorstehenden Veränderungen gegenüber durchaus aufgeschlossen zu sein. Zumindest hatte ich sie in den letzten Tagen öfters dabei erwischt, wie sie fröhlich summend vor sich hin werkelte. Das tat sie sonst nie.
„Also, wir haben uns Folgendes gedacht", begann Papa umständlich und breitete die Pläne auf dem Tisch aus. „Es ist nämlich so …" Er warf einen unsicheren Blick Richtung Rosa, die ihn verliebt anlächelte. Oh nein, durchschoss es mich heißkalt, sie war doch wohl nicht etwa schwanger?!

Doch zu meiner großen Erleichterung sagte sie nur: „Ich werde meinen Beruf als Lehrerin aufgeben und das tun, wovon ich mein Leben lang geträumt habe: Ein Hotel eröffnen!" Jetzt strahlte sie über ihr ganzes Gesicht. Ich konnte mich nicht erinnern, sie jemals so gelöst erlebt zu haben. Dieses „nur" würde ich später komplett anders sehen, doch das ahnte ich zu jenem Zeitpunkt noch nicht.

„Ein Hotel, aha", kam der knappe Kommentar von Lynn. „Sonst noch was?"

„Es wird nicht irgendein Hotel", ergänzte mein Vater, „wir haben ja auch einen guten Ruf zu verlieren! Unser Anwesen wird in jedem Insider-Reiseführer lobend erwähnt, also kann das Konzept so falsch nicht sein. Nur leider muss es wegen Umbau und umfangreichen Renovierungsarbeiten für ein paar Wochen geschlossen bleiben." Er grinste Oma Lisa schief an, die ihn amüsiert anblickte. Offensichtlich hatte mein Vater auch Oma vor vollendete Tatsachen gestellt, aber sie war damit einverstanden, wie es schien.

„Umbau?" In meinem Gesicht standen tausend Fragezeichen. Aber eine noch viel wichtigere Frage brannte mir auf der Seele: „Und was machst du?", fragte ich meinen Vater, konnte mir die Antwort aber schon denken. Er hatte immer von einem eigenen, schicken Hotel geträumt, aber Oma Lisa hatte ihn nie gelassen. Ich warf ihr einen unsicheren Blick zu, doch sie verzog keine Miene.

„Ich gebe meinen Job auf und widme mich voll und ganz der Familie!", sagte er stolz und hauchte Rosa ein Küsschen ins Haar.

„Familie, pah!“ Ich blickte ihn herausfordernd an. „Am Ende sollen wir hier noch alle mithelfen, damit ihr als familienfreundliches Hotel punkten könnt!“

„Wer redet hier von Familienklitsche, das wird ein cooles *Hostel* mit einem leckeren Suppenrestaurant“, erklärte Roselotte grinsend. Da war er wieder, ihr typischer, süffisanter Lehrerinnen-Ton, den ich an ihr nicht leiden konnte.

„Hostel, aha! Noch blöder ging's nicht“, stöhnte Lynn und ich musste ihr ausnahmsweise recht geben. „Sagt doch gleich, ihr macht 'ne Jugendherberge auf.“

„Nein, ein Hostel“, bestand mein Vater auf den Begriff. „Es soll ein internationaler Ort der Begegnung für junge Leute werden. Und deine Mutter ist eine hervorragende Suppenköchin.“ Im Folgenden breitete er uns seinen Business-Plan aus, der besagte, dass das bestehende Gebäude von Grund auf saniert und aus zehn Zimmern sechs Doppelzimmer mit Duschbad würden. Das Dach sollte zu einem mehrräumigen Loft ausgebaut werden, in dem wir unsere Zimmer haben würden. Das jetzige Gebäude wäre der allgemeine Wohnraum. Dann, wenn alles fertig wäre.

„Wenn wir alle mit anpacken, schaffen wir das bis zum Sommer“, meinte Rosa zuversichtlich. „Aber bis zur Eröffnung müssen wir *alle* Kompromisse machen.“ Sie schaute ernst in die Runde, bevor sie fortfuhr: „Yaris schläft fortan in Oma Lisas Zimmer, Oma Lisa hier im Wohnzimmer und Lynn bei Alicia.“

„WAS?“ Ich sprang empört auf. Oma runzelte die Stirn. War sie überhaupt gefragt worden?

„Reg dich ab“, meinte Lynn schulterzuckend, „ist ja nur für vierundachtzig Tage und davon verbringe ich garantiert die Hälfte bei meiner Freundin und die andere mit meinem Freund. Ist doch viel praktischer, wegen der Schule und so.“

„Apropos Schule.“ Rosa senkte den Ton, atmete tief durch und guckte mich an. Sie wirkte plötzlich ganz ernst und sanft. „Ich habe bereits gekündigt! Ich war sowieso nie gerne Lehrerin und jetzt … Du und ich können uns das in Zukunft also sparen.“

Wieso bist du dann überhaupt Lehrerin geworden und musstest ausgerechnet meinen Vater treffen?, hätte ich ihr am liebsten entgegengeschleudert. Doch ich schwieg. Immerhin: Wenigstens eine gute Nachricht hatte die Sache! Ich wollte mich gerade auf stressfreien Matheunterricht freuen, da fügte sie hinzu: „Weil besondere Situationen besondere Umstände erlauben, wird Lynn jedoch sobald wie möglich die Schule wechseln. Dann könnt ihr morgens gemeinsam den Bus nehmen.“

„Und was ist mit meinen Freundinnen? Das kannst du nicht machen! Du machst alles kaputt! Erst vergraulst du Dad und jetzt … Weiß Philipp überhaupt davon? Ohne mich!“ Lynn wollte aufspringen, doch Rosa hielt sie fest. Ich nahm mir vor, bei Gelegenheit nachzufragen, was mit ihrem Vater passiert war.

Rosa war blass geworden, doch sie hatte sich gleich wieder im Griff. „Philipp weiß, dass es das Beste für uns alle ist. Ich habe gestern Abend lange mit ihm telefoniert und er wünscht uns viel Glück. So ein Neuanfang ist genau

das, was wir jetzt alle brauchen. Das wird schon, ihr werdet sehen“, sprach sie mehr sich als uns anderen Mut zu. Papa streichelte ihr liebevoll über die Schulter und blickte mich durchdringend an. Bitte mach mit, wollten seine Augen mir sagen, es ist unsere Chance auf ein riesengroßes Glück. Und ich kann endlich machen, was ich will, und muss mich nicht ständig nach Oma Lisa richten.
Ich verstand sofort, was er meinte. Oma Lisa war eigentlich eine herzensgute Frau, doch meistens hatte sie griesgrämige Laune. Mit ihrer Art, immer alles bestimmen zu wollen, ging sie einem schwer auf den Zeiger. Das fing bei so Kleinigkeiten wie der Falttechnik von Kissen und Handtüchern an und hörte bei der Einrichtung und Benutzung der Räume auf. Sie hatte nämlich ganz genau aufgeteilt, wer sich wo aufhalten durfte: Ich hatte mein Zimmer und die Wohnräume, durfte aber weder Dachboden noch Keller betreten, die waren mit einem dicken Vorhängeschloss verriegelt. Natürlich hatte ich mit Daniel während unserer Detektivphase mehrfach versucht, dort herumzuspionieren, aber Oma Lisa hatte uns jedes Mal erwischt und die Hölle heißgemacht.
Umso mehr verwunderte es mich, dass sie jetzt diesen Umbaumaßnahmen ohne weitere Diskussionen zustimmte. Irgendetwas musste passiert sein, dass sie es plötzlich zuließ, hier alles zu entrümpeln. Denn genau das war der Plan für die bevorstehenden Osterferien.
„Damit ich das auch richtig verstanden habe“, sagte Lynn und checkte ihre pink lackierten Fingernägel. „Wir sollen unsere Ferien damit verbringen, hier wie die Bekloppten

zu ackern, damit ihr euch euren Lebenstraum erfüllen könnt, richtig?“

„So kannst du es formulieren, liebe Lynn, aber ich würde es anders sehen“, antwortete mein Vater und lächelte sie charmant an. „Schau, wenn hier erst einmal alles neu und renoviert ist, hat jeder von euch seinen eigenen Raum – und viel Platz für eigene Träume! Das Gebäude ist alt und sanierungsbedürftig, das wissen wir schon lange.“ Er nickte Oma Lisa zu, die so tat, als merkte sie es nicht. „Ich freue mich darauf, die Ärmel hochzukrempeln! Es wird höchste Zeit, dass etwas passiert, wir haben viel zu lange damit gewartet.“

„Und warum so plötzlich?“, wollte ich wissen, konnte mir die Antwort aber schon denken.

Papa stand auf, legte mir die Hand auf die Schulter und sah mich ernst an. „Weil ich bisher ein Blödmann war, der vor allem weggelaufen ist. Weil mich Rosa wachgeküsst hat.“

Was für ein Dornröschen!

„Und weil diese Rosa das nötige Kleingeld mitbringt“, ergänzte sie fröhlich. Sie war ebenfalls aufgestanden und blickte erwartungsvoll in die Runde.

„Da hätte ich mir aber echt etwas Besseres denken können, als in diese Bruchbude zu investieren.“ Lynn verzog das Gesicht. „Diesen modrigen Jahrtausendgestank bekommst du doch nie im Leben aus den Balken!“

„Ich kann mir nichts Schöneres vorstellen!“ Rosa lächelte und fügte nach einer kurzen Pause mit ernster Miene hinzu: „Du musst wissen, Alicia, ich habe ein

beträchtliches Vermögen von meinem verstorbenen Bruder geerbt. Ist das nicht eine wunderbare Fügung?"
Zum tausendsten Mal verfluchte ich in diesem Moment den Tag, an dem ich die Fünf in Mathe geschrieben habe. Von wegen Fügung. Es war Pech in Tüten. Und: Hätte sich dieser Bruder denn mit dem Sterben nicht noch Zeit lassen können?

„Du musst dir was einfallen lassen und sie rausekeln", meinte Daniel schlau, als ich ihm drei Tage später von den bevorstehenden Veränderungen erzählte. Obwohl es immer noch kalt war, hingen wir in unserer Meisterbude ab. „Am Ende kommen sie noch auf die Idee, hieraus eine Wellness-Farm zu machen, und reißen den Lokschuppen ab."
„Kannst du alles haben", seufzte ich, „bei den beiden weiß man nie, so verliebt wie die tun. Aber wie es aussieht, bleibt unser Schuppen vorerst verschont."
„Trotzdem! Das kannst du dir doch nicht einfach so gefallen lassen, da musst du etwas dagegen tun!", machte er weiter.

„Und was, bitte schön?", winkte ich müde ab. Die gleiche Diskussion hatte ich bereits mit Bibi geführt, die der Meinung war, gemeinsam mit *Lotterose Boesefro* unter einem Dach zu wohnen, sei so ziemlich das Grausamste, was sie sich vorstellen könne. Da selbst Oma Lisa bei den Umbauplänen ihre Zustimmung signalisierte, war ich dieser *froboesen* Familienattacke hilflos ausgeliefert. Bibi und ich waren gemeinsam in der Pause unsere Liste mit Streichen durchgegangen, aber weil sie nicht mehr unterrichtete, machten sie alle keinen

Sinn mehr. Und mich mit Lynn zu verbünden, nur um *gemeinsam* unsere Eltern auseinanderzubringen, kam ja wohl nicht infrage.

„Erzähl ihr, dass es bei euch im Bahnhof spukt", sagte Daniel, „oder dass dieser Drogenboss Schutzgeld von euch erpresst."

„Vergiss es", antwortete ich, nahm mir aber insgeheim vor, genau damit Roselotte einen Strich durch die Rechnung zu machen. Aber zuallererst würde ich ihr Juckpulver in die Schuhe kippen und Dosenchampignons in die Jackentasche. Nur Lynn durfte davon nichts merken, sonst würde sie mich sicherlich auslachen und fragen, wie alt ich wäre.

„Findest du das nicht unglaublich kindisch?", fragte ich Daniel, doch der zuckte zur Antwort nur ratlos mit den Schultern.

Ratlos machte mich auch Lynn, die sich mit ihren Sachen am ersten Ferientag in meinem Zimmer dicke breitmachte. Keine Rede mehr davon, bei ihrer Freundin zu wohnen geschweige denn bei ihrem Freund, mit dem sie sich ständig treffen wollte. Wusste ich's doch, diese Tussi erzählte nur Lügenmärchen, der glaubte ich kein Wort! Meinen Schreibtisch schob sie einfach zur Seite und stellte stattdessen ein quietschbuntes Regal auf, in dem sie ihre Schneekugelsammlung drapierte. Mein Vater baute ihr extra eins der Gästebetten auf, damit sie ja nicht auf dem Boden schlafen musste. Sie selbst breitete in ihrer unnachahmlich blöden Art eine pinkpuschelige Tagesdecke darüber. Zu allem Übel besaß sie einen

Micky-Maus-Wecker, der selbst in den Ferien frühmorgens um sechs losquietschte. Da Lynn um diese Uhrzeit leider schwerhörig war, genauer gesagt: sich im komatösen Tiefschlaf befand, war ich es, die angesäuert aufsprang und das nervtötende Piepsen ausstellte. Danach war ich glockenhellwach – und supermies gelaunt, weil ich die halbe Nacht kein Auge zugetan hatte. Lynn hatte nämlich die bescheuerte Angewohnheit, im Schlaf zu sprechen. Leider verstand ich nur die Hälfte, sonst hätte ich mich darüber lustig machen können. So war ich nur stinkangepisst. Und zwar tierisch, weil sie so ganz anders war als ich und mir noch stärker als Bibi zeigte, wie langweilig sie mich fand. Ich brauchte morgens nicht viel Zeit, um mich startklar zu machen. Einmal fix durchs Bad, ein halbes Nutellabrot und los ging's, jetzt in den Ferien sowieso.

Nicht so Lynn. Die zog sich als Erstes einen ihrer bunten Monsterkopfhörer über und begann den Tag mit zwanzig – ZWANZIG! – Kniebeugen vorm offenen Fenster, während sie den Eingang ihrer SMS checkte. Dann blockierte sie für genau eine halbe Stunde das Badezimmer, ohne sich im Geringsten um das energische Türklopfen von uns anderen zu kümmern. Egal, dass Yaris dringend pinkeln musste und Roselotte entnervt ihren Namen rief, selbst ein Machtwort meines Vaters ignorierte sie. Dafür kam sie später strahlend schön, mit fluffigen Haaren und einem umwerfenden Lächeln auf den geglossten Lippen hinunter ins Frühstückszimmer geweht, trank fünf Schlucke Orangensaft und verabschiedete sich mit einem fröhlichen „Bis später“ Richtung Gästetrakt. Dort stülpte sie sich zuallererst Musik auf die Ohren und Handschuhe über ihre gepflegten Hände, um dann mit akribischer Sorgfalt Tapetenreste von den Wänden zu pulen. Ich hatte mir abgewöhnt, nach ihr ins Badezimmer zu gehen. Diese Mischung aus heißem Duschdampf und Parfümvernebelung verursachte bei mir Würgereflexe. Stattdessen benutzte ich eins der Gästebadezimmer, das noch nicht dem Vorschlaghammer zum Opfer gefallen war, und ließ mir dort entgegen meiner Gewohnheit so viel Zeit wie möglich. Denn diese Minuten am frühen Morgen waren kostbar, nur dann war ich für mich.

Ich bin als Einzelkind aufgewachsen und hatte immer alles für mich alleine. Und jetzt war da plötzlich ständig jemand in meiner Nähe, und nicht nur einer! Egal, wo ich hinkam: Yaris, der im Hof kickte, Rosa, die mit Plänen und Lasermessgerät herumlief, Papa, der in der Küche stand und kochte, Lynn, die in mein Zimmer kam und ging, wie sie wollte. Der gesamte Bahnhof brummte wie ein Bienenstock. Ich konnte mich so schnell nicht daran gewöhnen, plötzlich eine Familie zu haben, geschweige denn: Geschwister. Zum Glück war dieser Philipp in weiter Ferne, noch einen von der Sorte hätte ich nicht ausgehalten.

Noch einem machte die neue Großfamilie zu schaffen, und das war Carlo. Er war an das Kommen und Gehen der Gäste gewöhnt und liebte Menschen, auch solche, die nicht sonderlich gut mit Hunden umgehen konnten. Immerhin war er ein Hovawart-Rüde in den besten

Jahren! Trotz aller Gutmütigkeit hatte er jedoch seinen eigenen Kopf und vor allem seinen geregelten Tagesablauf. So hatte er es sich zum Beispiel angewöhnt, seine Vormittage bei uns zu verbringen, während Daniel und ich in der Schule waren. Er lag dann in der Einfahrt unter der alten Wartebank und passte auf. Genau diesen Platz gab es nun nicht mehr: Seine Lieblingsbank war den Umbaumaßnahmen zum Opfer gefallen. Zwar tobte er mit Yaris über die Wiese, aber Carlo wirkte längst nicht mehr so ausgeglichen wie früher. Er stromerte unruhig umher und knurrte die Bauarbeiter an.

Doch es war nicht in erster Linie der Umbau, der Carlo störte: Ich führte sein Verhalten glasklar auf ein weiteres der neuen Familienmitglieder zurück, und zwar auf Kassandra. Das war Roselottes weiße Angorakatze, die sich im Haus breitgemacht hatte und Carlo nicht in ihre Nähe ließ. Ganz bestimmt empfand Carlo es als schreiend ungerecht, dass sie plötzlich überallhin durfte, während er dank Oma Lisa komplettes Hausverbot hatte. Doch die hatte überraschenderweise nichts gegen Kassandra einzuwenden. Blauäugig, eigensinnig und kratzbürstig entsprach sie dem Klischee der fiesen Katze aus dem Bilderbuch. Eigentlich hätte sie mir egal sein können, wäre sie nicht eines Tages auf Beutefang in meinem Zimmer unterwegs gewesen. Ich konnte sie gerade noch daran hindern, meine Guppys zu fischen. Seitdem achtete ich immer peinlich darauf, die Tür hinter mir zu schließen.

Lynn lachte mich deswegen aus. „Vergiss es, früher oder später fängt sie sie doch! Sie hat auch Yaris' Wellensittich gerupft. Kannst dir ja vorstellen, was da los war", meinte sie lachend, als ich wieder einmal in meiner Not Kassandra mit der Wasserpistole vertrieb.

„Sehr witzig", antwortete ich. Wie gesagt: Nirgends war ich mehr sicher! Rosa ließ sich von meinen Streichen nicht beirren (im Gegenteil, sie lächelte milde verständnisvoll!), Lynn breitete sich überall aus (nur um mich zu ärgern, jede Wette!), Yaris bespielte das Gelände (und wollte unbedingt den Schuppen erobern, aber da konnte er lange warten, das war viel zu gefährlich für ihn!) und Papa war auch ständig da (aber er kuschelte nicht mehr mit mir und träumte auch nicht mehr von *gelati*).

„Was soll's", sagte ich jetzt seufzend zu Daniel, der dankenswerterweise seine Hilfe beim Renovieren angeboten hatte und startklar im Türrahmen stand. Wenigstens einer, auf den ich mich verlassen konnte, auch wenn unsere Freundschaft seit seinem Getratsche einen leichten Knacks bekommen hatte. „Fangen wir an, damit das Elend endlich ein Ende nimmt. Dann zeige ich auch gleich meinen guten Willen und muss mir nicht von Papa in einer Extra-Unterredung Vorwürfe machen lassen."

So ein Gespräch hatten wir nämlich am Abend zuvor gehabt. Papa hatte mich eindringlich gebeten, freundlicher zu sein und Rosa nicht mit kindischen Streichen das Leben schwer zu machen. Ich guckte ihm nicht in die Augen, während ich ihm versprach, es in Zukunft zu lassen, und heimlich die Finger kreuzte.

„Und wo fangen wir an?", fragte Daniel.

„Auf dem Dachboden!“ Ich weiß nicht, warum mir diese Worte über die Lippen schossen. Wahrscheinlich, weil die Dachzimmertür auf mich von klein auf eine magische Wirkung ausübte. Oft genug hatte ich darum gebeten, auch nur einen winzigen kleinen Blick in das verbotene Zimmer werfen zu dürfen, doch Oma Lisa hatte immer eine Ausrede gefunden, es mir zu verbieten.

Und jetzt war es plötzlich so weit. Das Schloss war verschwunden, die Tür stand offen, der Raum war für jeden frei zugänglich. Unglaublich. Ich kniff mir heimlich in die Arme.

„Und darum hat sie all die Jahre so ein Geheimnis gemacht?“, sagte Daniel. Er schaute sich skeptisch zwischen den staubigen Gerätschaften um. Da standen die alten Druckstöcke, mit denen früher das Reiseziel auf die Fahrkarten gedruckt wurde, jede Menge Zuglaufschilder, kaputte Bahnhofsuhren und stapelweise abgegrabschte Kursbücher.

„Hier hat schon jemand geräumt“, stellte ich fest, den Schleifspuren im Staub auf dem Fußboden nach zu urteilen. „Offensichtlich hat derjenige hier heimlich eine große Kiste rausgeschafft! Nur, wer?“

„Deine Oma, jede Wette“, meinte Daniel. „Oder warum sonst hat sie dir all die Jahre das Dachzimmer verboten?“

Oder Papa, fügte ich in Gedanken hinzu. Mittlerweile war ich mir nämlich nicht mehr so sicher, wer von den beiden der größere Geheimniskrämer war.

„Macht nichts, hier stehen noch genügend herum“, feixte Daniel, der sich anschickte, einige Deckel zu öffnen. Aus einer Kiste voller Uniformen fischte er ein Zugführerband hervor und zog es sich um.

„Sehr witzig!", bemerkte ich. „Fehlt noch die Pfeife!"
Ich weiß nicht, was ich erwartet hatte, vielleicht Gold und Schmuck oder alte Kleider. Zumindest war ich zutiefst enttäuscht über all den alten, museumsreifen Kram aus dem vorletzten Jahrhundert, der jeden Eisenbahnfan zu verzückten Ausrufen gebracht hätte.
„Komisch, dass die deine Oma noch nicht verkauft hat", meinte Daniel, während er sich eine Kiste schnappte und Richtung Treppe nach unten marschierte. „Wo sie doch sonst alles versilbert." Er kicherte sein typisches Daniel-Kichern und ich wusste sofort, worauf er anspielte. Seufzend schnappte ich mir ebenfalls eine Kiste und trabte ihm hinterher. Oma Lisa hatte nämlich mal eine Zeit lang in der Fußgängerzone versucht, altes Porzellan zu verkaufen. Mit verrissenen Kleidern saß sie auf einem Stück Pappe und bot ihre ollen Habseligkeiten feil – mit gutem Erfolg. Jedoch nur so lange, bis eine andere Bettlerin ihr bitterböse den Platz streitig machte und ein Streifenpolizist schlichten musste. Die Geschichte hatte ihr so zugesetzt, dass sie nie wieder etwas verkaufen wollte.
„Rosa wird sich freuen, dass du so fleißig zupackst", rief mir mein Vater dankbar zu, der mitten im Hof stand und mit dem Architekten diskutierte. „Ihr könnt die Kisten dort drüben stapeln, dann stören sie niemand. Für nächste Woche ist der Sperrmüll bestellt."
Da ertönte vom Dachzimmer ein Freudenschrei. „Guck dir das an, Alicia", rief Daniel strahlend, als ich nach oben gerannt kam. „Da kannst du bis an dein Lebensende

Strickschnüre knüpfen.“ Lachend hielt er mir eine Kiste mit Wolle in den buntesten Farben entgegen.

„Die muss noch von Mama sein“, entfuhr es mir ehrfurchtsvoll, während meine Hände vorsichtig in die Kiste tauchten. „Hier, siehst du, da steht ihr Name drauf! Sie hat also gestrickt …“ Ich zog ein paar handschriftliche Anleitungen für Ponchos und Pullis hervor. Tränen schossen mir in die Augen. Also hatte das Dachzimmer doch einen Schatz für mich geborgen. Endlich ein Zeichen meiner Mutter, auf das ich so lange gewartet hatte.

Daniel, der so tat, als bemerke er meine Gefühlsverwirrungen nicht, war mit einer Zugabschlusslaterne in der Hand nach unten verschwunden. Ein Hauch Petroleum lag in der Luft.

Was liegt in Deiner Goodie-Kiste?

Den Tipp habe ich natürlich von Bibi: Goodie-Kiste basteln und lauter schöne Dinge darin aufheben, die einem guttun. Beispielsweise ein Lieblingsfoto vom letzten Urlaub, Schokolade für Notfälle oder witzige Sprüche, falls die Laune mal im Keller ist. Bei Bibi liegen sogar noch ein Fläschchen Parfüm und Hello-Kitty-Taschentücher drin. Sie hat mir stolz ihren Schuhkarton gezeigt, den sie sehr aufwendig mit Dekopatch und funkelnden Strasssteinchen verziert hat. Seit Neuestem verwahrt sie darin ein Bild von Daniel, das sie beim letzten Klassenausflug heimlich geschossen hat.

Ich habe auch so eine Kiste. Bei mir heißt sie nicht Goodie-Kiste, sondern einfach „alte Schachtel", weil es sich um einen alten Schuhkarton voller Erinnerungsstücke handelt. Oma hat sie mir in einem ihrer seltenen warmen Momente weitervererbt und erzählt, diese Schachtel würde von Generation zu Generation in ihrer Familie weitergeben, immer von Mutter zu Tochter. Aber sie hätte ja nur Leonard und deswegen wäre ich jetzt als Nächste an der Reihe.

Neugierig habe ich darin herumgestöbert. Gefunden habe ich die ersten Liebesbriefe meines Ururopas an meine Ururoma (kurz nach dem Ersten Weltkrieg!), das Foto einer wunderschönen Trakehnerstute, die mit dem Flüchtlingstreck von Ostpreußen ins Rhein-Main-Gebiet kam (das Lieblingstier meiner Uroma, wie die Zeilen auf der Rückseite verrieten), drei vertrocknete alte

Rosen (offensichtlich von Oma, wobei ich mir das kaum vorstellen konnte. Oma und Rosen? Wann gab's denn so was!). Außerdem drei Spitzentaschentücher, eine Tüte Sahne-Muh-Muh-Karamellen und ein feingliedriges Goldkettchen mit einem Medaillon, in dem sich ein verblasstes Foto befand. Jeder Gegenstand erzählte so viel und manchmal dachte ich mir dazu neue Geschichten aus.
Gerade habe ich eines meiner verstrickten Knotenkunstwerke hineingelegt, nicht ohne es vorher zu beschriften und zu erzählen, wer ich bin. Meine Ururururenkelin soll eines Tages Antworten auf ihre Fragen finden. Und nicht wie ich eine Lücke spüren. Das bin ich ihr schuldig, finde ich.

Im Innendeckel klebt ein Buntstiftkunstwerk von mir, das ich im Kindergarten an Muttertag gemalt habe. Es zeigt drei Personen, die sich lachend an den Händen halten und auf einer grünen Wiese stehen. Statt Wolken habe ich lauter Herzchen und Schmetterlinge drum rum gemalt. Auf dem Bild habe ich keine „Asinello"-Haare, sondern lange blonde. Wie meine Mutter.

Schluss mit lustig

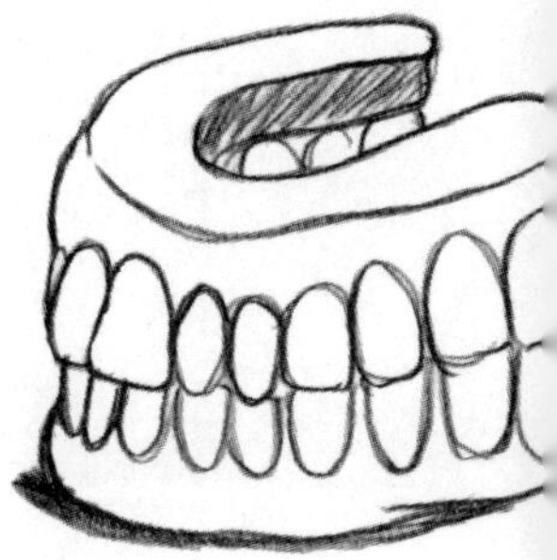

Dann ging alles ganz schnell. Während Bibi ihre Osterferien auf Gran Canaria verbrachte und Amal bei ihren Großeltern in Teheran, hieß es bei mir: Schluss mit lustig. Ich war gerade dabei, nach Mamas Anleitung Maschen für einen Poncho aufzunehmen, da kam Lynn am dritten Ferientag in den Schuppen gestürmt und riss die Tür zur Meisterbude auf. Es fehlte nicht viel und sie wäre in die stuhltiefe Grube gestürzt, die früher einmal zur Untersuchung von Loks diente. Daniel und ich waren uns darin einig gewesen, sie nicht mit Brettern abzudecken, wozu auch. Wenn jetzt aber Lynn überall herumgeisterte, sollten wir vielleicht doch darüber nachdenken. Nicht, weil sie mir mit einem Gipsbein besonders leidtäte, sondern weil mir Papa und Roselotte garantiert ein megaschlechtes Gewissen reindrücken würden. Und darauf hatte ich keine Lust.

„Das ist ja wohl das Allerletzte", rief Lynn empört. „Wir schuften und ackern da draußen wie die Deppen und du sitzt hier in aller Seelenruhe und strickst!"

Instinktiv raffte ich Wolle und Nadeln zusammen, vielleicht würde es doch nur eine Decke werden. „Das geht dich überhaupt nichts an", fauchte ich zurück. Wenn die mir so blöd kam, konnte ich auch. „Du hast mir überhaupt nichts zu sagen! Und im Gegensatz zu dir habe ich gestern den gesamten Nachmittag lang aufgeräumt. Aber du hattest ja *Hip-Hop*!"

Mein Ton war abfälliger geraten, als ich es meinte. In Wahrheit war ich ganz froh gewesen, einmal ohne ihr albernes Gekicher und Haaregeschnicke zu sein. Außerdem ging es sie überhaupt nichts an, was meine Familie alles auf dem Dachboden angesammelt hatte. So hatte ich mit Daniel in aller Seelenruhe die Sachen vom alten Bahnhof sortieren können, eine Stehlampe und eine Kommode für unseren Schuppen gerettet und eben die Wollkiste in unsere Meisterbude herübergetragen.

„Stell dir vor", ätzte sie zurück, „ich bin eben nicht so eine Schwabbelbauchtante wie du und kann mehr, als nur dämlich herumzusitzen. Stricken, das ist doch Omakram!"

Ich atmete tief durch. Das hätte sie nicht sagen dürfen! Erstens war ich alles andere als dick und zweitens strickte ich nicht wegen Oma, sondern wegen meiner Mutter. Wütend sprang ich auf und funkelte sie an. Ich weiß nicht, was ich ihr alles an den Kopf geworfen hätte, wäre Yaris nicht in diesem Moment durch die offene Tür hereingestürmt. Er strahlte über das ganze Gesicht, Carlo im Schlepptau, der stolz das zerfetzte Zugführerband im Maul trug.
„Guckt mal, das hat er unterm Holunderbusch ausgebuddelt!“ Rief es und war schon wieder verschwunden.
„Na super, ist man jetzt hier nirgends mehr sicher? Das ist *mein* Schuppen, kapiert?“, brüllte ich. „Hier hat niemand etwas zu suchen. Und jetzt raus!“ Ich schob Lynn energisch vor die Tür, nicht ohne vorher mein Strickzeug in einer meiner bunten Kisten abgelegt zu haben. Dann verriegelte ich den Schuppen sorgfältig von außen mit dem Zahlenschloss, dessen Kombination nur Daniel und ich kannten.
„Reg dich ab“, lachte Lynn, während wir über die Wiese liefen, „deine Bruchbude kannste eh vergessen. In ein paar Monaten befindet sich hier ein schicker Biergarten, wirst schon sehen.“
„Du machst mir keine Angst“, konterte ich fix, „deine Mutter hat ganz andere Pläne.“ Woraufhin sie mir die Zunge rausstreckte und ich sie freundlich angrinste.
Ich hatte nämlich ein Gespräch zwischen meinem Vater und Rosa belauscht, in dem die beiden ausdrücklich über den Verbleib des Schuppens gesprochen hatten. Lang und breit hatten sie Für und Wider diskutiert, ihn jetzt abzureißen oder später, *Kosten, Möglichkeiten, Perspektiven.*

Gerade, als ich mich mit einem „Das könnt ihr nicht machen“ dazwischenwerfen wollte, war es Papa, der zu Bedenken gab, dass die Meisterbude mein einziger Rückzugsort war und er mich nicht überfordern wolle. In diesem Moment hätte ich ihn knutschen können.
Statt einer Antwort deutete Lynn jetzt demonstrativ hustend auf einen staubigen Teppich, der bereits im Hof lag. Für heute stand auf dem Plan, den Gästetrakt endgültig zu räumen, was weit weniger spannend war als der Dachboden. Das einzig Aufregende, das wir entdeckten, waren ein paar alte D-Mark-Münzen in der Ritze einer Schublade sowie eine Kassette mit unbekannter Musik. ABBA stand da drauf.
„Iiih, was ist denn das?“ Mit angewidertem Gesicht fischte ich ein Stück roten Stoff aus der Ecke.
„Das stammt bestimmmmt von einemmm blutdurrrstigen Vampirrrr“, machte Lynn mit verstellter Stimme. „Meine Güte, was hattet ihr nur für bescheuerte Gäste!“ Sie zuckte verächtlich mit den Schultern, schnappte sich eins der Bilder vom Haken und kickte ein vergammeltes Taschentuch in die Ecke, bevor sie wieder nach draußen verschwand.
Mit spitzen Fingern entknäulte ich den Stoff und pulte darin herum. „Ein Gebiss!“, kicherte ich und ließ es spaßeshalber auf- und zuschnappen.
„‚Hände hoch oder ich beiße‘, sagte der Vampir“, begrüßte ich Daniel klappernd, der gerade ins Zimmer kam, um uns beim Schleppen zu helfen.
„Was hast du mit dem armen Kerl gemacht?“, fragte er kichernd.

„In die Küche zum Tomatensuppeessen geschickt", antwortete ich, genauer gesagt: das Gebiss.
„Iiiih, bist du eklig", rief Lynn, die in diesem Moment angeweht kam. „Wie kannst du nur vergammelte Opi-Spucke anfassen!" Sie schüttelte sich und sah aus, als würde sie augenblicklich einen Ekel-Herpes bekommen. Dann bemerkte sie Daniel und knipste ihr Lächeln an. „Du bist bestimmt Daniel", rief sie mit gespieltem Entzücken und ich fragte mich, wie man so tussig sein konnte. „Alicias *Freund,* ich weiß schon." Lynn guckte ihn vielsagend an, während sie sich mit einer koketten Geste durch ihr duftendes Haar strich. Dann griff sie nach der Matratze und zog sie einfach über den Boden hinter sich her, was etwas seltsam aussah, wie sie in ihrem Mini-Mini-Rock davonstöckelte. Denn unter fünf Zentimetern Absatz tat Lynn es selbst auf der Baustelle nicht.
„Wer ist das denn?" Daniel stand der Mund offen.
„Lynn." Mehr gab es nicht dazu zu sagen. Ich wollte gerade weiterlästern, da bemerkte ich seinen glasigen Blick. Diesen Ausdruck kannte ich von Bibi, wenn sie Daniel anschmachtete. Nee, oder? Wenn Daniel sich jetzt in Lynn verguckte, hätte ich Bibi einiges zu erklären.
„Sie hat einen Freund in der Zehnten", behauptete ich einfach, um Daniel abzulenken, obwohl es gar nicht stimmte. „Komm, bringen es wir einfach hinter uns. Je schneller der Umbau fertig ist, desto eher habe ich meine Ruhe vor ihr." Denn es war nach wie vor kein Spaß, mit Lynn gemeinsam ein Zimmer zu teilen. Immer wieder funkte sie mir mit ihrer blöden Art dazwischen.

Mal hängte sie einen kitschigen Traumfänger ans Fenster, mal versprühte sie Kokosduft zum Relaxen, mal dauertelefonierte sie mit ihrer Freundin und ich musste mir den Tratsch über wermitwemwieoftgeküsst anhören. Seit Neustem schwärmte sie für einen SÜSSEN rothaarigen Typen. Und der war offensichtlich nicht erfunden, so dämlich, wie sie dabei kicherte.
„Hier, nimm du die Seitenteile", sagte Daniel mit verträumter Stimme und drückte mir zwei Bretter in die Hand. „Ich schraube die Betten und Schränke auseinander, dann geht es schneller."
„Okidoki!"
Auf diese Weise räumten wir in den folgenden Stunden Gästezimmer für Gästezimmer leer. Lynn schleppte und schleifte, Daniel demontierte Schränke und Betten und ich trug die Teile nach draußen. Wir ackerten wie die Bekloppten, bis uns jeder Muskel einzeln wehtat und die T-Shirts am Körper klebten.
Ich fragte mich zwischendurch immer wieder, warum wir das taten, schließlich hatten uns unsere Eltern einfach vor vollendete Tatsachen gestellt. Wir hatten allen Grund der Welt, die Sache zu boykottieren und ihnen einen Strich durch die Rechnung zu machen. Hätte ich Lynn auf freier Wildbahn, sprich in der Schule, getroffen, ich hätte nie im Leben auch nur ein Wort mit ihr gewechselt. Und jetzt musste ich, weil ich mit ihr unter einem Dach wohnte. Wahrscheinlich ging deswegen die ganze Räumerei ohne Rumstänkern vonstatten, weil jeder von uns mit seinen eigenen Gedanken beschäftigt war.

Es lief so lange gut, bis Papa auftauchte.
„Na, ihr Hübschen, das macht ihr aber toll!“, sagte er und hörte sich nach Kindergeburtstag an. „Wenn ihr hier fertig seid, kochen wir was Schönes. Einen italienischen Gemüseauflauf zum Beispiel, was haltet ihr davon?“
„Och nö, nicht auch noch kochen“, maulte ich und hängte mich bettelnd an seinen Arm. Wenn er auf Baby tat, konnte ich das auch. „Wir bestellen Pizza und machen es uns vor der Glotze gemütlich. Ich finde, das haben wir uns verdient!“ Beifall heischend blickte ich mich nach Daniel und Lynn um, doch die taten beschäftigt.
„Danke, ich bin noch verabredet“, antwortete Daniel förmlich und sah auf die Uhr. „Meine Mutter wartet …“ Er hatte mit Lynn kein Wort mehr gewechselt, nur immer wieder heimlich zu ihr hinübergestarrt.
„Ich esse keine Pizza“, meinte Lynn. „Viel zu fettig und so …“
Na super, dachte ich, spaßfreier konnte es wirklich nicht gehen. Natürlich wusste ich auch, dass Pizza nicht zu den gesündesten Nahrungsmitteln gehörte. Aber wenn es nun mal praktisch war? Nach all den anstrengenden Schleppaktionen hatte ich nämlich keine Lust, mich auch noch stundenlang in die Küche zu stellen und Gemüse zu schnippeln. Ich kannte doch meinen Vater. Wenn der mal loslegte, war er so schnell nicht zu stoppen. Es konnte bis Mitternacht dauern, bis so ein Auflauf fertig war.
„Gemüseauflauf ist doch eine gute Idee“, mischte sich Rosa ein, die hinzugekommen war. Sie wirkte verschwitzt und müde, aber glücklich. „Leonard kocht und

wir ziehen uns um. Etwas Besseres kann uns doch nicht passieren, oder?“ Sie drückte Papa einen fetten Schmatzer auf die Wange und er küsste sie herzhaft zurück. Das dauerte eine Weile.

Ich verzog das Gesicht. Musste das sein, dass die beiden in aller Öffentlichkeit herumknutschten? Mir reichte ja schon, wie Papa ihren Namen jedes Mal aussprach. *Rosa.*

„Wenn’s denn sein muss. Ich fege noch fix aus … Dauert ja sowieso.“ Schlurfend verabschiedete ich mich Richtung Gästetrakt, um ein letztes Mal die Räume zu reinigen, die ich oft auf Omas Geheiß hergerichtet hatte. In Zukunft würde es hierfür eine Angestellte geben, das hatte Rosa in Aussicht gestellt. Immerhin etwas.

„Und ich helfe dir, Leonard!“, hörte ich im Weggehen Lynn rufen.

Ich hätte kotzenkotzenkotzen können. Was fiel der ein, sich auf diese Weise bei meinem Vater einzuschleimen! Wütend griff ich zum Besen. Ich wusste nicht, was ich fühlen sollte.

Später hörte ich dann unten aus der Küche fröhliches Gekicher und Geplapper. Offensichtlich hatte mein Vater in Lynn eine Bewunderin gefunden, die über seine peinlichen Späßchen lachte. Und, noch schlimmer, eine, die ihm beflissen zur Hand ging und der es nichts ausmachte, sich von ihm ständig belehren zu lassen: wie man Möhren stiftelt, Zucchini raspelt, Salat putzt. Welches Messer wofür zu benutzen war und wohin mit den Resten und dass die Böden seiner Töpfe eine leichte Innenwölbung besaßen, damit sie sich beim Erhitzen ausdehnen

konnten, um sich optimal der Herdplatte anzupassen. Wer interessierte sich denn dafür?!
Genau ein Mal hatte ich mit meinem Vater gemeinsam gekocht. Und das lag nicht daran, weil er ständig auf Reisen war und so selten zu Hause. Ich hatte danach einfach keine Lust mehr, mich ständig wegen jeder Kleinigkeit anrempeln zu lassen: Ich hatte die Paprika in der falschen Reihenfolge geöffnet, die Champignons geschält, statt einfach nur abzubürsten und zu allem Übel (!) hatte ich die Zwiebeln gehackt statt geschnitten, weswegen ich ordentlich heulen musste. Papa meinte, das sei auch kein Wunder, weil ich die Fasern gequetscht hätte und dadurch der beißende Zwiebelsaft austreten würde. Er lachte mich einfach aus und empfahl mir für die Zukunft eine Taucherbrille bei der Küchenarbeit. Das war der Moment gewesen, in dem ich ihn einfach stehen lassen hatte.
Aber offensichtlich machte diese Lynn jetzt alles richtig, zumindest hörte ich sie durch den Türschlitz fröhlich kichern. Als ich heimlich näher schlich, musste ich sogar mit ansehen, wie Papa ihr einen Probierlöffel hinhielt und sie ihn verzückt abschleckte.
Oh Mann!!!
Zugegebenermaßen roch es verlockend. Mein Magen knurrte, doch ich würde nicht eine Gabel von dem Auflauf probieren, den Papa mit dieser blöden Lynn zusammengeschichtet hatte. Lieber würde ich heute Abend nichts mehr essen. Schließlich befanden wir uns in der Fastenzeit, da hatte ich eine gute Ausrede, wenn jemand besorgt nachfragen würde.

Aber das tat niemand, sie hatten mich einfach vergessen. Das wurde mir spätestens nach zwei Stunden klar, in denen ich einsam und verlassen in der Meisterbude gehockt und bereits mit dem zweiten Knäuel Wolle angefangen hatte. Musste ich anfangs meine Finger noch umständlich in die richtige Haltung zwingen, ging mir die Strickerei jetzt flugs von der Hand und ich war ein ordentliches Stück vorangekommen. Um meinen Hunger zu stillen, hatte ich aus unserem Regal die Notfallpackung Salzstangen geplündert. Und so strickte und knusperte ich vor mich hin, als mein Vater sich dann doch noch irgendwann bequemte, nach mir zu schauen.

„Hey, Alicia, wo bleibst du denn? Wir haben längst gegessen …“ Er musterte mich aufmerksam von oben bis unten. Als er die Wollkiste entdeckte, hielt er für einen Moment inne, aber nur ganz kurz. Dann fuhr er fort: „Da sitzt du hier und strickst in aller Seelenruhe und wir denken, du schläfst. Lynn hat extra nach dir geschaut, ist das nicht lieb von ihr?“

„Ganz lieb“, antwortete ich und versuchte, nicht aggressiv zu klingen. Jede Wette hatte Lynn genau gemerkt, dass ich nicht auf meinem Zimmer war.

„Ich finde, du solltest ihr eine Chance geben!“, meinte Papa und ließ sich gemütlich im Ledersessel nieder, sonst immer Daniels Lieblingsplatz. „Sie ist so …“, er suchte nach den passenden Worten, „… so offen und zugänglich, hilfsbereit. Sie ist wirklich ein ganz tolles Mädchen und ich bin froh, dass sie bei uns ist!“

„Und ich finde sie zum Kotzen!", rutschte es mir ehrlich heraus. „Hallo, merkst du nicht, wie sie sich bei dir einschleimt?"

„Ach, ich weiß nicht, was du hast. Freu dich doch, dann bist du hier nicht mehr so alleine! Du hast dich doch immer nach Geschwistern gesehnt." Er sah mich durchdringend an. Was sollte das jetzt werden? Ein Vier-Augen-Vater-Tochter-Gespräch?

„Und ich wünschte, du würdest mehr auf Rosa zugehen, sie gibt sich solche Mühe!"

Ich schwieg. Was hätte ich ihm auch antworten sollen? Dass Lynn eine eingebildete, egoistische Ziege war, die nicht nur das Bad, sondern auch mein Zimmer belegte, lag ja auf der Hand. Und jetzt kochte sie auch noch mit Papa! Fehlte nur noch, dass er sie mir demnächst als neue Co-Autorin für den Gelateria-Reiseführer vorstellte. Aber bitte, wenn er nicht wahrhaben wollte, dass sie mit ihrem Puschelkram Haus und Hof verseuchte, musste ich ihm eben die Augen öffnen und handeln.

„Ich will ab sofort hier im Schuppen wohnen", sagte ich mit möglichst fester Stimme. „Dann muss Lynn nicht mehr so viel Rücksicht auf mich nehmen."

„Das kommt überhaupt nicht infrage!", wehrte er kategorisch ab. „Das ist viel zu unsicher und zu gefährlich, alleine hier draußen! Komm, Alicia, reiß dich zusammen, das wird schon!" Papa stand auf. „Ich geh dann mal." Er beugte sich über mich und drückte mir einen Kuss auf die Stirn. Sein Atem roch nach einer Mischung aus Knoblauch und Wein. Ich drehte mich weg, das war alles zu viel für mich. Da zog Papa mich hoch in seine Arme und hielt mich fest.

„Nicht weinen, *Alitschia*", flüsterte er zärtlich in meine Haare. „Es wird alles gut, wir werden hier sehr glücklich werden, ganz bestimmt. Gib mir eine Chance, endlich alles wiedergutzumachen. Ich weiß, das geht jetzt ziemlich schnell für dich. Aber bitte vertraue mir!"

Ich schniefte. Vertrauen! Glücklich! Pah, was dachte Papa denn? Am Ende meinte er noch, ich würde mich über eine *Schwester* wie Lynn freuen! Ich hatte immer geglaubt, dass Mama eines Tages wieder zu uns zurückkäme. Plötzlich und unvermittelt vor der Tür stehen würde, wie sie seinerzeit plötzlich und unvermittelt verschwunden war. Darauf hatte ich gehofft, das hätte mich glücklich gemacht. Dass Papa hier jetzt umbaute und mit Rosa zusammen war, änderte alles, machte meine Hoffnungen zunichte. „Mal schauen ...", flüsterte ich.

Da strich Papa über die Wolle. „Was soll das denn werden, eine ... Jacke?" Seine Stimme hörte sich plötzlich kehlig an, als wären Tränen darin.

„Weiß noch nicht", antwortete ich leise. Wieso sagte er jetzt nicht, dass er die Wolle ganz genau kannte? Wieso erzählte er mir nicht von Mama und dass auch er sich gewünscht hatte, dass sie endlich zu uns zurückkäme? Stattdessen drehte er sich weg, atmete tief durch und ging leise davon.

Welche Musik hörst Du?

Lange Zeit habe ich auf meiner Gitarre nur stinknormale Liedbegleitung gemacht, Akkorde gespielt, ganz klassisch eben. Seit einiger Zeit jedoch versuche ich, Popsongs aus dem Radio nachzuspielen, mehr noch: Wenn mir ein Lied, ein Song gefällt, lasse ich mich in die Musik fallen, spüre die Töne in mir, fühle sie groß werden, wie sie mich ausfüllen und glücklich machen. Manchmal muss ich dabei weinen, manchmal wie verrückt hüpfen oder tanzen. Immer singe ich mit, am Anfang nur den Refrain. Irgendwann bin ich neugierig, dann will ich wissen, worum es in diesem Song geht. Klar kann ich die auch als Lyrix im Internet runterladen, aber ich liebe es, vor dem Lautsprecher in der Meisterbude zu hocken und immer wieder meinen aktuellen Lieblingssong zu hören. Und dann jedes Mal eine Liedzeile mehr in mein Songbook aufzuschreiben, so, wie ich sie verstanden habe. Ich habe mir geschworen, die Texte so zu lassen, wie sie sind, und auch nicht zu streichen, wenn ich das Lied längst peinlich finde. Deswegen finden sich dort Justin Bieber (Okay, „Oh Baby, Baby, Oh" war nicht so schwer zu übersetzen) neben Sinead O'Connor („Nothing Compares 2 U", anstrengend) und Genesis („Mama", na ja, ging so).

Wenn ich den Inhalt verstehe, begreife ich hinterher auch, warum mich dieses Lied so tief berührt hat. Wie zum Beispiel dieses hier, „Castle of Glass" von Linkin Park:

(...) Wasch die Trauer von meiner Haut und zeige mir, wieder ganz zu sein (...) Ich bin nur ein Riss in diesem Schloss aus Glas, kaum für dich zu sehen (...).

An dieser Stelle musste ich jedes Mal weinen. Papa merkte ja auch nie was.

Weitere Texte in meiner Sammlung: „Another Brick in the Wall" von Pink Floyd, „No one can catch us" von Lena, „Rolling in the Deep" von Adele („ ... Meine Tränen fließen im Verborgenen"; das war, als Papa in einem Jahr ständig auf Achse war).

Wenn Bibi das wüsste, würde sie mich nicht langweilig finden, aber ich werde es ihr nicht erzählen. Erstens, weil es mir peinlich ist, und zweitens, weil sie es nicht verstehen würde.

Knallbunt mit grüner Soße

Lynn ging mir grässlich auf den Zeiger, sie war einfach nur doof.

Sie belagerte nicht nur mein Zimmer und das Bad, sondern hatte es alsbald geschafft, mit ihrer unnachahmlich tussigen Art den gesamten Hof zu verpesten. Nirgends hatte ich mehr meine Ruhe vor ihr, sogar in der Küche hatte sie sich breitgemacht. Lynn besaß einen umfangreichen Vorrat an spaßfreien Diätprodukten und lagerte im Kühlschrank jede Menge 0,001%-Fett-Joghurt, den sie zu jeder Tages- und Nachtzeit löffelte.

Rosa hatte aus ihrer alten Wohnung einen Flockenquetscher mitgebracht sowie etliche Gewürzdöschen einer gewissen Hildegard von Bingen. Die war schon so lange tot, dass ich mich fragte, ob die Kräuter darin noch essbar waren. Doch Papa war verzückt über das frische Bio-Bio-Müsli am Morgen und schwärmte in einer Tour davon, wie schmackhaft und bekömmlich die Speisen jetzt seien. Verliebt wie am ersten Tag strahlte er dabei über das ganze Gesicht und *Rosa* küsste ihren *Leonardo* auf die Nasenspitze, nachdem sie ihm den Morgenkaffee eingeschenkt hatte. Ein Ritual, an das ich mich nur mit Würgereflexen gewöhnen konnte.

Oma Lisa dagegen nahm all diese Veränderungen gelassen hin, auch wenn sie kein Müsli anrührte und ihr drei Tage altes Holzofenbrot demonstrativ dick mit Butter und selbst gekochter Brombeermarmelade bestrich. Sie machte auch stets alles frisch, aber nicht immer bio und erst recht nicht immer mit eigenem Gemüse. Oma hatte viele Macken, aber in Sachen Essen war es ihr noch nie egal gewesen, was bei uns auf den Teller kam. Deswegen nervte es uns beide nun ungemein, wie Rosa ihre Mahlzeiten zelebrierte, uns auf die verzückten Entdeckungen ihrer Geschmacksknospen hinwies oder grüne Soße für die „beste Erfindung seit Goethe" hielt. Außerdem hatte Rosa ihr knallbuntes Geschirr mitgebracht. Es gab lange Diskussionen mit Oma Lisa, die ihr altes weißes für praktischer und ausreichend hielt.

„Aber die Kinder sind nun mal an ihre eigenen Müslischälchen gewöhnt, das ist seit ihrer Taufe ein Ritual für

sie", versuchte Rosa, sie davon zu überzeugen, dass Farbe im Alltag angesagt war. Demonstrativ spielte sie mit den Fransen eines ihrer unvermeidlichen BUNTEN Tücher, die sie im Gegensatz zu ihren sexy Miniröcken nicht abgelegt hatte. Woraufhin Oma die Augen rollte und meinen Vater in einem Vieraugengespräch um ein eigenes Apartment im künftigen Gästetrakt bat. Wenn sie mit Opa Georg über die ungemähte Wiese oder den wuchernden Ranunkelstrauch lautstark stritt, war sie nicht so diplomatisch, sondern machte das vor allen Leuten am Gartenzaun.
„Und wer denkt an mich", rief ich. „Was ist mit meinem Lieblingsbesteck, hä? Darauf nimmt mal wieder niemand Rücksicht!" Doch mein Protest ging in dem allgemeinen Tumult, der seit Neustem auf unserem Hof herrschte, einfach unter. Bauarbeiter und Installateure kamen und gingen, es lärmte und klopfte aus allen Ecken und zwischendurch tauchte immer mal wieder der Architekt auf, der nach dem Rechten sah. Und wie gesagt: überall Lynn. Lag ich abends gemütlich auf meinem Bett, um ein bisschen ungestört mit mir alleine zu sein, kam sie einfach hereingestürmt.

„Kannst du nicht anklopfen", machte ich sie jedes Mal an und hoffte, dass sie nicht bemerkt hatte, wo meine Finger herumfummelten.
„'tschuldigung, ich wohn jetzt auch hier", gab sie jedes Mal zurück. Dann zog sie sich aus, setzte ihre knallorangenen Monsterbeats auf und tanzte so lange halb nackt mit den aberwitzigsten Verrenkungen vor ihrem geöffneten Kleiderschrank herum, bis ich entnervt aufsprang.

„Kannst du mal aufhören, hier wie ein Känguru auf Ecstasy herumzuhüpfen!“, rief ich und zog ihr die Kopfhörer von den Ohren. „Andere Menschen wollen in Ruhe nachdenken!“

„Kannst du mal aufhören, dich wie eine Gouvernante aufzuspielen“, rief sie zurück. „Andere Menschen wollen ihren Spaß! Und ich bin heute Abend noch verabredet. Schließlich habe ich Ferien!“ Sie zog eine bunt gemusterte Tigerleggings aus dem Schrank und wählte dazu ein neonfarbenes T-Shirt.

„Gehst du als Blinker oder was?“, lästerte ich. Insgeheim war ich neidisch auf Lynn. Es war diese Woche bereits das dritte Mal, dass sie abends weggehen durfte, um ihre Freundinnen zu treffen. Unter Garantie war der SÜSSE Rothaarige auch dabei. Papa hatte sich sogar bereit erklärt, sie später abzuholen. Das hatte er bei mir noch nie gemacht, er kannte ja noch nicht einmal Bibi. Ich fand das schreiend ungerecht.

„Muss ja ’ne tolle Party sein, so wie du dich aufbrezelst.“ Ich stand hinter Lynn, die sich mittlerweile mit einem Spiegel vor der Nase am Schreibtisch niedergelassen hatte, um sich zu schminken.

„Kannst du mal aufhören, mich zu nerven“, rief sie. „Jetzt habe ich den Eyeliner verschmiert.“ Seufzend nahm sie ein Kosmetiktuch und wischte sich an den Augen herum. Dann griff sie erneut zum Stift und zog eine Linie ums Auge.

„Das sieht voll eulig aus!“ Obwohl ich wusste, dass ich mich wie meine eigene Oma anhörte, waren mir diese Worte einfach herausgerutscht. Prompt fing Lynn wieder an zu fluchen, weil sie sich erneut verpinselt hatte.

„Geh doch ins Bad, da hast du wenigstens deine Ruhe", fügte ich schulterzuckend hinzu.
„Geht nicht, ist bereits besetzt. Da baden gerade …" Sie verzog das Gesicht und lief rot an. „Ähm, ich meine, Leonard und meine Mutter…"
„Du meinst …" Ich schluckte. So genau wollte ich es lieber gar nicht wissen. Ich atmete tief durch. „Schon okay, ich halt meine Klappe."
Schweigend setzte ich mich wieder auf mein Bett, um diesmal aus gebührender Distanz Lynns Schminkorgie zu verfolgen. Schritt für Schritt, als hätte sie diese Anleitungen aus Bibis Mädchenzeitschriften auswendig gelernt, tupfte und malte sie an sich herum, bis sie nach einer gefühlten Ewigkeit aussah wie ein Topmodel – und nicht mehr wie Lynn.
„Und so lässt dich deine Mutter losziehen?", fragte ich ehrlich erstaunt, doch Lynn murmelte nur was von wegen „Langweilerin" und brauste davon, eine Duftwolke aus Parfüm und Haarspray hinter sich herwehend.
Schnell öffnete ich das Fenster, um frische Luft hereinzulassen. Die Äste des Walnussbaums in unserem Hof ragten mittlerweile fast bis in mein Zimmer. Bald hätte ich eine heimliche Ein- und Ausstiegsmöglichkeit in mein Zimmer gehabt. Bald … Ich schmiss mich wieder aufs Bett und brütete zum wiederholten Male darüber, wie ich Papas und Roselottes Familienpläne wohl am besten durchkreuzen könnte. Aber da selbst Oma Lisa als Verbündete ausfiel, hatte ich wohl keine Chance. Denn Oma hatte nach etlichen Rangeleien bei einem Glas Johannisbeerlikör mit

Roselotte Frieden und Freundschaft begossen. Vielleicht waren es auch zwei Gläser. Oder drei.

Am nächsten Morgen sollten wir den Zaun streichen. Rosa hatte literweise orange Farbe gekauft, doch offensichtlich hatte sie die Farbwahl ohne meinen Vater getroffen, der der Meinung war, der Zaun solle grau wie immer bleiben. Zumindest steckten die beiden noch mitten in der Diskussion über „Villa Kunterbunt gegen Villa Langeweile“, als Lynn längst ihren Joghurt ausgelöffelt und ich mein Nutellabrot gegessen hatte. Genervt saßen wir dabei, wie die beiden offensichtlich ihren ersten Streit ausfochten. Yaris nutzte die Gunst der Stunde und steckte seinen Löffel ins Nutellaglas. Dabei galt für ihn striktes Süßigkeitenverbot, da er sowieso ständig hyperaktiv auf Hochtouren lief und Rosa der Meinung war, Zucker in seinem Blut mache es nicht besser.
Ich dachte gerade über einen Plan B am heutigen Ferientag nach, als sich Rosa und mein Vater direkt vor unseren Augen mit einem fetten Versöhnungsschmatzer einig geworden waren.
„Wir streichen die Zaunlatten türkis und die Pfosten hellgrün“, verkündete mein Vater und blickte Rosa verliebt an. „Und die orange Farbe heben wir für den Lokschuppen auf. Worauf wartet ihr noch? Los geht's!“
Missmutig machte ich mich ans Werk. Hatte ich überhaupt noch irgendwo ein Wörtchen mitzureden? Buntes Geschirr in der Küche, bunte Handtücher im Bad, bunter Zaun und jetzt auch noch mein Schuppen.

„Jetzt mach nicht so ein Gesicht, Alicia“, sagte Rosa und sie meinte es wohl aufmunternd, „Freu dich doch, dass endlich Farbe in dein Leben kommt! Hier war es lange genug trist und öde!“ Sie vermied es dabei, Oma Lisa anzugucken, die trotz ihrer abgewetzten schwarzen Klamotten alles andere als *trist und öde* wirkte. Doch die grinste nur und streckte mir die Zunge raus. Oder meinte sie Rosa?

Also verbrachten Lynn und ich die nächsten Stunden damit, den Zaun türkis anzupinseln. Die Grundierung hatten wir gestern bereits aufgetragen und unsere Eltern hatten sich wohl vorgestellt, wir würden uns bei dieser Aktion endlich anfreunden. Doch geschnitten. Anstatt gemeinsam Latte für Latte zu streichen, hatte Lynn am einen Ende angefangen und ich am entgegengesetzten.

„Na, das sieht aber nicht nach Spaß aus“, meinte Daniel, als er mit Carlo im Schlepptau dazukam. Krampfhaft versuchte er, nicht Richtung Lynn zu blicken. „Soll ich dir helfen?“

„Sehr gerne“, antwortete ich und wunderte mich insgeheim über den frisch geduschten Aufzug meines Kumpels. Hatte der doch tatsächlich Gel in den Haaren!

„Früher hat das alles Oma Lisa alleine gemacht. Aber die tut plötzlich so, als hätte sie akute Rheumaschübe in den Fingern und könne keinen Pinsel mehr halten. Wenn du mich fragst, ist das alles ein abgekartetes Spiel.“

Genervt tauchte ich meinen Pinsel in die Farbe. Carlo war mittlerweile Richtung Lynn getrottet, um sich von ihr genussvoll durchkraulen zu lassen. Hatte sie gestern nicht behauptet, sie hätte Schiss vor großen Hunden, als wir beim Abendessen über Daniels Hundezüchterambitionen sprachen? Offensichtlich änderte sie ihre Meinung ebenso schnell wie die Farbe ihrer unvermeidlichen Kopfhörer. Heute trug sie Pink.

„Schöne Grüße von meiner Mutter. Sie lädt dich herzlich zum Kuchenessen ein", sagte Daniel, der sich den Pfosten vorgenommen hatte. „Wenn du mich fragst, platzt sie vor Neugier, was hier bei euch alles passiert", fügte er kichernd hinzu. „Seit Tagen kennt sie kein anderes Thema als euer modernes Jugendhostel. Mama hat sogar schon Opa Georg bekniet, dass er sich endlich mit deiner Oma aussöhnt und Informationen anbringt. Also mach dich auf was gefasst, du musst ihr endlich Rede und Antwort stehen."

„Na, da kann ich ihr einiges berichten", seufzte ich und fing geschickt eine Farbnase auf. „Öko, bio, nachhaltig soll alles werden, ist ja gerade in. Und alles bunt und lebensfroh."

„Hört sich doch gut an, weiß gar nicht, was du hast!", meinte Daniel und schielte schon wieder rüber zu Lynn, die so tat, als wären wir Luft. „Endlich passiert hier mal was. Und das Gebäude war doch längst sanierungsbedürftig. Denk nur an die schimmeligen Wände!"

„Das ist wohl eure Hauptsorge, was?" Ich kicherte. Der größte Kummer von Daniels Mutter war das gemeinsame Dach, das ihr Haus mit dem Gästetrakt verband. Mehr als einmal hatte es hereingeregnet, mehr als einmal hatte Oma Lisa versprochen, es richten zu lassen. Und mehr als einmal gab es deswegen Knatsch mit Opa Georg.

„Vergiss Regen und Schimmel! Wenn das hier alles fertig ist, erkennst du den alten Bahnhof nicht wieder, versprochen. Ob's dann wirklich schöner ist, kann ich dir allerdings nicht sagen." Grinsend deutete ich Richtung Lynn, die den Latten grüne Tupfen und Streifen verpasst hatte. Carlo saß wie ein Wachhund daneben und wuffte jedes Mal freudig, wenn sie den Pinsel in den Eimer tauchte.

„Ostereierzaun!", lästerte ich laut, doch Daniel grinste nur.

„Toll sieht das aus", rief er ihr zu, der olle Verräter, „warte, ich habe eine Idee."

Und zu meinem Ärger und Lynns Begeisterung latschte er lässig auf ihre Seite, tauchte *meinen* Pinsel in *ihre* Farbe und malte zusätzliche Verzierungen.

„Voll kreativ!", ätzte ich. Doch die beiden hörten mir überhaupt nicht zu. Sie waren viel zu sehr damit beschäftigt, unter Gekicher den Lattenzaun in ein farbenfrohes Kunstwerk zu verwandeln. Nach gut eineinhalb Stunden sah keine Latte mehr wie die andere aus, mal abgesehen von meiner Seite.

„Wie langweilig", meinte Lynn und schnickte mit ihrem Pinsel ein paar Farbkleckse in meine Richtung, Carlo sprang begeistert an ihr hoch.

„Komm schon, Alicia, sei keine Spielverderberin!" Daniel grinste mich an. „Das macht doch Spaß!"

„Dir vielleicht!", schnaubte ich verächtlich, schmiss den Pinsel zu Boden und flüchtete in die Meisterbude. Dort schnappte ich mir mein Strickzeug und nadelte wütend drauflos. Was fiel Daniel bloß ein, sich mit dieser Ätztussi anzufreunden! Wie sollte ich das jemals Bibi erklären? Nur weil sie Carlo süß fand und keine Angst vor ihm

hatte, himmelte Daniel diese Lynn an, als sei sie das zehnte Weltwunder. Und die hatte keine Skrupel, sich meinen besten Freund und Nachbarskumpel zu angeln, obwohl sie eigentlich für den SÜSSEN Rothaarigen schwärmte.
Nach fünfzig Reihen mit eng gestrickten Maschen in Knallrot fühlte ich mich besser. Seufzend packte ich alles in die Kiste zurück, verriegelte die Tür und marschierte Richtung Küche, weil mein Magen knurrte. Die Mittagszeit war längst vorbei, aber mich hatte mal wieder niemand gerufen. Typisch. Da machten Rosa und Leonard einerseits auf harmonische Großfamilie und andererseits sagten sie nicht mal Bescheid, wenn es Essen gab. Immerhin stand auf dem Herd noch ein Topf warmer Suppe. Es roch verführerisch unter dem Deckel, und als ich meinen Probierfinger abschleckte, wurde mir klar, dass ich in meinem Leben noch nie so eine leckere Suppe gekostet hatte. Ohne lange nachzudenken, füllte ich mir einen *gelben* Teller und löffelte genussvoll. Ein Teller, zwei, drei, ich weiß es nicht mehr. Irgendwann war ich pappsatt und der Topf leer.

Wohlig grunzend streckte ich mich und überlegte, ob ich mir wohl ein kleines Schläfchen gönnen konnte, schließlich hatten wir Ferien. Und da Lynn sich offensichtlich mit Daniel angefreundet hatte und jede Wette gerade eben drüben dabei war, sich den Bauch mit Waffeln vollzustopfen, hatte ich sturmfreie Bude. Ein Umstand, den ich unbedingt auskosten und genießen sollte.
Doch zu früh gefreut. Ich schlurfte gerade mit meinem Suppenbäuchlein Richtung Treppe, als mir Rosa entgegenkam, ihr Tuch flatterte.

„Hallo, Alicia, gut, dass ich dich treffe. Hast du einen Moment Zeit für mich?“ Sie strahlte wie eine Lichterkette und zog mich, ohne eine Antwort abzuwarten, einfach an der Hand zurück Richtung Küche.
„Wie ich sehe, hast du es dir schmecken lassen.“ Sie deutete mit dem Kopf zur Spüle, wo ich den riesigen Topf eingeweicht hatte. „Das war eine Bärlauch-Kartoffelsuppe mit Bertramwurzel.“
Ich nickte nur. Unter keinen Umständen würde ich ihr sagen, wie lecker ich ihre *Bärlauch-Kartoffelsuppe* mit diesem *Bertram* fand.
„Komm, setz dich, es ist höchste Zeit, dass wir uns beide einmal in Ruhe unterhalten.“ Sie deutete auf den freien Stuhl neben sich, doch ich blieb einfach am Küchenschrank stehen.
„Also gut, wie du willst.“ Rosa gab sich große Mühe, cool zu wirken, aber die hektischen Flecken am Hals verrieten mir, dass sie innerlich wahnsinnig aufgeregt war. Wie seinerzeit in der Schule, wenn die Klasse nicht ruhig sein wollte und sie mit ihrem Unterrichtsstoff nicht vorankam. Trotzdem hatte ich kein Mitleid mit ihr. Ich verschränkte die Arme vor der Brust.
„Es ist nicht einfach für dich, das weiß ich“, begann sie dann ohne Umschweife und ihre folgenden Sätze hörten sich nach Elternratgeber an. „Und ich wünschte auch, wir könnten euch Kindern mehr Zeit lassen, euch an die neue Situation zu gewöhnen. Ich sehe ja, dass es dir damit nicht so gut geht.“ Diese Bemerkung fand ich nett und gleichzeitig völlig untertrieben. Mir ging es beschissen.

Rosa atmete tief durch, bevor sie fortfuhr. „Aber du sollst wissen, für mich und deinen Vater ist es ebenfalls nicht leicht. Auch unser Leben steht kopf, weil ein paar Umstände schnelles Handeln erforderten. Wenn du mal älter bist, wirst du das besser verstehen. Bis dahin bitte ich dich, uns einfach zu vertrauen. Und uns nicht unnötig das Leben schwer zu machen." Rosa blickte mich ernst an.
Ich verzog genervt das Gesicht. Dass sie einen auch immer für Kleinkinder halten und in diesem merkwürdigen Ton mit einem reden mussten!
„Ich habe von meinem verstorbenen Bruder eine Menge Geld geerbt, das ich schnell investieren muss, bevor ich unendlich viele Steuern dafür zahle", sagte sie. „Und außerdem mussten wir aus unserer Wohnung raus, weil der Vermieter schon vor Ewigkeiten wegen Eigenbedarf gekündigt hatte. Ich war sehr verzweifelt, musst du wissen … Quatsch, was rede ich, du weißt es ja, du hast das Chaos in der Schule ja mitbekommen." Abermals seufzte Rosa. „Es war eine schreckliche Zeit und ich bin froh, dass es vorbei ist. Bitte, Alicia, gib mir, gib uns allen eine Chance. Für mich ist das hier alles wie …", sie suchte nach den passenden Worten und ich ahnte, es konnte nur etwas Kitschiges werden, „… wie ein Wunder, wie eine zweite Chance, die man nur einmal im Leben bekommt."
Wow, die Rede saß! Ich schluckte. Natürlich hatte ich nie darüber nachgedacht, dass meine grässliche Mathelehrerin persönliche Nöte und Probleme haben könnte. Musste ich jetzt etwa ein schlechtes Gewissen haben, weil ich ihr all diese Streiche gespielt hatte?

„Und wer fragt nach mir?“, sagte ich leise. Ich wollte gar nicht mit Rosa darüber reden, es war mir so rausgerutscht.
„Ich“, antwortete sie schlicht. „Glaube mir, Alicia, ich weiß genau, wie du dich fühlst. Meine … meine Eltern sind gestorben, als ich noch sehr klein war. Mein Bruder und ich, wir sind gemeinsam bei meinen Großeltern aufgewachsen und …“
Leider habe ich an diesem Nachmittag nicht mehr erfahren, was Rosa in ihrer Kindheit alles noch erlebt hatte. Denn genau in diesem Moment kam Yaris heulend in die Küche gestürmt. Er war beim Balancieren auf den alten Gleisanlagen ausgerutscht und hatte sich den Fuß verknackst. Einen Moment ertrug ich es, wie Rosa ihn liebevoll tröstete, ihm ein Kühlpäckchen aus dem Gefrierfach heraussuchte und es mit ihrem Tuch um seinen Knöchel band. Dann hatte ich genug. So viel mütterliche Fürsorge war ich einfach nicht gewohnt.

Schreibe über Deine Mutter

Ich weiß nicht, wie sich das anfühlt: Mutterliebe. Kuscheln, kitzeln, trösten. Egal zu welcher Uhrzeit, egal was man ausgefressen hat. Nachts bei Albträumen in ihr warmes Bett zu flüchten

oder morgens noch 'ne Runde gemeinsam unter der Decke zu dösen, während draußen leise der Tag beginnt.
Ich kenne nur Oma Lisa, die mir die Wange tätschelt, wenn ich wegen einer Sache traurig bin, oder die mir aufmunternd auf die Schulter klopft, wenn eine schwierige Schularbeit bevorsteht.
Ich kenne nur Daniels Mutter Lydia, die allesallesalles für ihn tut. Die ihm in ewiger Sorge ein GPS-Handy verpasst und Carlo nur erlaubt hat, weil sie darin einen echten Beschützer für ihren Sohn sieht. Lydia kocht jeden Tag drei Varianten Mittagessen, damit eins dabei ist, das ihm schmeckt. Sie räumt Daniels Zimmer bis zum letzten Staubkorn auf, reinigt seine Legosteine in der Waschmaschine, bügelt seine Unterhosen, und damit Daniel am Wochenende ausschlafen kann, schleicht sie auf Zehenspitzen durchs Haus. Selbst die Rollläden zieht sie nicht hoch, damit es keinen Lärm gibt, sondern frühstückt lieber im Hinterzimmer bei Lampenschein. Daniel meint, sie wäre schon immer so gewesen, nicht erst seit dem Tod seines Vaters, der leider viel zu früh gestorben ist.

Kein Wunder, dass Opa Georg das auch alles zu viel ist. Er ist mit seinem Fahrrad den ganzen Tag wie ein Penner auf Achse und kommt nur noch zum Essen und Schlafen nach Hause. Ich kenne nur Bibis Mutter, die in einem Reihenmittelhaus wohnt und ihre gesamte Freizeit mit Tupper-, Kerzen-, Stempel- und Schmuckpartys verbringt. Wann immer ich bei Bibi zu Besuch bin, sitzt sie am langen Holztisch, bastelt Käfer, Zwerge, Schmetterlinge oder füllt Bestell-Formulare aus. Frau Wenzels größte Sorge sind Schmutz und Krankheiten, weshalb Desinfektions-Seife im Gäste-WC hängt und man sich sofort die Schuhe ausziehen muss, sobald man zur Tür hereinkommt. Deswegen ist es ihr auch ein Dorn im Auge, wenn mich Bibi besucht. Sie denkt, das alte Bahnhofsgelände sei ein einziges, zeckenverseuchtes Wanzenloch. Und das nur, weil Bibi einmal mit zehn Zecken am Körper und einer am Po nach Hause kam. Da hatten wir draußen auf der Wiese gemeinsam ein Referat vorbereitet. Ohne Decke. Und in Unterhosen, weil es uns zu heiß war.

Ich kenne nur das Foto der wunderschönen blonden jungen Frau, die den Betrachter verträumt anlächelt und die meine Mutter ist. Als ich etwa drei Jahre alt war, ist Mama von heute auf morgen verschwunden. Niemand weiß genau, warum. Oma Lisa erzählt mir immer andere Geschichten, wenn ich sie danach frage, und Papa redet nicht gerne darüber. Ich habe mir fast abgewöhnt, darüber nachzudenken, weil es mich traurig macht. Welche Mutter lässt schon ihr Kind im Stich? Sie hätte mich ja wenigstens mitnehmen können! Oder hatte sie mich vielleicht gar nicht so lieb und ich war ihr egal? Dieser Gedanke fühlte sich schlimm an, ich versuchte, ihn nicht zu haben.

Niemand weiß, wo Mama heute lebt. Das behaupten zumindest Papa und Oma Lisa. Vielleicht wohnt sie ganz weit weg irgendwo in Amerika, vielleicht aber auch eine Nachbarstadt weiter und hat wieder geheiratet und neue Kinder bekommen. Das wäre am allerschlimmsten. Ich kenne jetzt Roselotte, die zu jedem freundlich ist, egal ob zur grantelnden Oma Lisa oder einem arroganten Architekten. Die Yaris liebevoll ermahnt, wenn er mal wieder Unfug macht, und ihm immer zuhört, selbst wenn er zum zehnten Mal begeistert von seiner Regenwurmfarm erzählt. Die Lynn mit skeptischem Blick darauf hinweist, dass ihr Make-up übertrieben ist, und ihr gleichzeitig enge Shorts kauft. Die ihren Sohn Philipp sehr vermisst und doch nur jede zweite Woche mit ihm skypt. Die mich neulich ganz kurz in den Arm gezogen hat, als ich mir beim Räumen das Schienbein fies mit einem Brett angeschlagen habe. Ich habe es zugelassen.

Es kann nur einen Sieger geben

Es gab noch so etwas, was mich nervte: Inzwischen gab es jeden Tag Suppe, einmal pro Woche hätte auch genügt. Zugegeben, die mit dem Bärlauch war sehr lecker gewesen, die mit dem Mais und dem Hackfleisch ebenfalls und Rosas *Minestrone à la Leonardo* war wirklich ein Gedicht. Andere Kombinationen, beispielsweise mit Kürbis oder grünen Bohnen, fand ich weniger schmackhaft, einmal habe ich sogar die Kartoffelsuppe nicht angerührt, weil sie nach Hühnerbrühe roch.

Doch Roselotte und Papa hatten sich in den Kopf gesetzt, für ihre Gäste als Zusatzangebot jeden Tag eine besondere Suppe bereitzuhalten. Und bis es so weit war, experimentierten sie mit allen möglichen Zutaten und Gewürzen. Oft half Lynn beim Schnippeln, Abschmecken und Verfeinern, aber nur, wenn mein Vater kochte. Der ließ sie von seinem Löffel kosten, gab auf ihren Tipp hin einen Hauch Currykraut oder Zitronengras hinzu und freute sich, wenn sie sich vor Begeisterung die Lippen leckte. Mir hing dieses Suppengekasper schon jetzt zum Hals heraus, dabei waren gerade mal zwei Wochen vergangen. Es war alleralleralleröchste Zeit, dass der Umbau fertig wurde.

Ich lag gerade chillig auf meinem Bett und dachte darüber nach, wie ich die Bauarbeiter wohl am besten bestechen könnte, schneller zu machen, da ertönte von unten lautes Gebell und Gefauche, dann ein gellender Schrei. Das war Rosa.

Ich sprang zum Fenster, um nachzuschauen, was passiert war. Der Klassiker: Während Daniel mit energischen Worten Carlo bei Fuß zitierte, saß hoch oben im Walnussbaum Kassandra und zitterte am ganzen Leib. Geschah ihr recht. Schnell versteckte ich mich hinterm Vorhang. Unten sah ich, wie Rosa und mein Vater nach oben deuteten und gestikulierten. Immer wieder riefen sie dabei Kassandras Namen und lockten sie. Doch die saß wie eingegipst im Baum und rührte sich nicht.

Rosa sollte bloß nicht auf die Idee kommen, dass Kassandra über den Ast, der fast bis ans Haus ragte, in mein

Zimmer und in Sicherheit gelangen könne. Das fehlte mir gerade noch!
Fieberhaft überlegte ich, was zu tun war. Ast absägen, ging nicht, also musste ich dafür sorgen, dass sich das Fenster nicht öffnen ließ. Ich ruckelte am Fenstergriff hin und her. Sonst war in diesem Haus alles alt und marode, aber ausgerechnet dieser Griff an diesem Holzfenster hier hielt wie am ersten Tag. Unten setzte sich mein Vater in Bewegung. Jede Wette wollte er zu mir, um das Fenster für Kassandra zu öffnen, damit sie bequem hereinspazieren konnte. Und als Belohnerle noch meine Fische angeln, was? *No way,* das galt es, um jeden Preis zu verhindern. Da ich keinen Schraubenzieher bei mir hatte, musste ich mir etwas anderes einfallen lassen. Fieberhaft durchwühlte ich meinen Schreibtisch und verfluchte den Tag, an dem ich meine Klebersammlung aufgegeben hatte. Da fiel mein Blick auf Lynns Sachen. Vielleicht hatte sie irgendwo Klebeband oder, noch besser, Sekundenkleber. Als ich ihre getigerte Kosmetiktasche öffnete, entdeckte ich drei volle Fläschchen Nagellack. Das war die Idee! Ich kicherte vor Vorfreude, Bibi wäre stolz auf mich!
Vorsichtig, damit niemand etwas bemerkte, öffnete ich das Fenster einen Spaltbreit und ließ als Erstes Türkis in die Rillen tropfen. Dann Pink und zum Schluss pinselte ich mit Orange die Innenseite an. Jetzt musste ich hoffen, dass Lynn die extra schnell trocknende Sorte Nagellack gekauft hatte. Eilig packte ich die leeren Fläschchen zurück, da hörte ich schon meinen Vater die Treppe heraufkommen. Ich lief ihm entgegen.

„Hey, Papa, was gibt's Neues von der Baustelle?", fragte ich so unbefangen wie möglich.
„Morgen kommen die Trockenbauer", sagte er und wollte an mir vorbei.
„Und was machen die?", versuchte ich, ihn in ein Gespräch zu verwickeln. Ich hatte zwar keine Ahnung vom Nägellackieren, aber dass Nagellack ein paar Minuten zum Trocknen, genauer gesagt, zum Verkleben brauchte, war selbst mir klar. Also ließ ich mir von ihm lang und breit erklären, wie sie die Wände aufbauten und die Ritzen verspachtelten, bevor wir ein paar Tage später alles anlegen und streichen würden.
„Dann ist ja alles gut!", strahlte ich ihn an.
„Schön, dass du dich freust, ich hatte schon die Befürchtung …" Er lächelte erleichtert.
„Keine Sorge, ich komme schon klar!", rief ich. Und zwar bestens, fügte ich insgeheim hinzu. „Ich muss rüber zu Daniel. Ich habe versprochen, ihn heute auf den Hundeplatz zu begleiten, die beiden wollen für ihre Zuchttauglichkeitsprüfung üben." Das war glatt gelogen, doch ich musste gleich so schnell wie möglich verschwinden.
„Daniel?", wunderte sich mein Vater. „Der ist doch gerade mit Lynn los."
„Wir gehen alle zusammen", notlügte ich und ließ ihn einfach stehen.
Draußen stand Rosa immer noch unterm Walnussbaum und flehte Kassandra an, doch endlich herunterzukommen. Ich sah noch, wie mein Vater oben wild gestikulierend an meinem Fenster ruckelte, das nicht aufzubekommen war.

Dann lief ich einen Umweg zu meinem Schuppen, wo ich mir die Wolle schnappte und mit Türkis, Pink und Orange lauter bunte Reihen strickte. Daniel, der alte Verräter, konnte mir echt gestohlen bleiben. Dass Carlo Kassandra auf den Baum verbannt hatte, entschuldigte nicht, dass er sich von Lynn umgarnen ließ und darüber unsere alte Kumpelfreundschaft vergaß, von Bibi ganz zu schweigen. Und Lynn, die doofe Kuh, machte das absichtlich, um mich auf die Probe zu stellen. Aber ich tat ihr nicht den Gefallen, mich zu ärgern.

Kassandra blieb genau einen Tag und eine Nacht oben auf dem Walnussbaum. Rosa verging vor Sorge, während ich mir insgeheim ins Fäustchen lachte. Oma Lisa schien der Verbleib der Katze ebenfalls nichts auszumachen, Yaris interessierte sich sowieso nicht für sie und Lynn war mit ihrem eigenen Kram beschäftigt. Strahlend war sie vom Hundeplatz nach Hause gekommen, erzählte beglückt von den vielen anderen Hunden und dass Carlo ein ganz starker Kerl sei, der Daniel sicher mal ein fettes Einkommen als Züchter bescheren würde. Sie sagte das so, *fettes Einkommen,* und ich fand sie unglaublich dämlich in diesem Moment.

Als wir später auf unseren Betten gammelten und lasen, hatte ich die Sache mit meinem Fenster beinahe vergessen. Da wurde ich auf unsanfte Art daran erinnert. Das lag nicht an Lynns Dauergepupse, das sie wegen der Bohnensuppe nicht unter Kontrolle hatte. Ich erstickte beinahe in dem Mief und lief immer wieder zur Tür, um frische Luft hereinzufächern. Sondern an ihrem Wutanfall angesichts drei leerer Nagellackfläschchen. Ich hatte gar nicht erst versucht, sie aufzufüllen, womit auch.

„Kannst du mir mal erklären, was das ist?“, rief sie entrüstet.

„Drei leere Fläschchen. Wieso wirfst du die nicht weg?“, fragte ich seelenruhig zurück und hielt mir die Nase zu.

„Weil sie gestern noch voll waren“, antwortete sie. „Und falls es dich interessiert: Das waren superteure Must-Have-Nagellacke von Chanel! Aber von so was hast du ja keine Ahnung. Was hast du damit gemacht? Los, raus mit der Sprache!“ Sie versuchte, meine Hände und Füße zu inspizieren. Doch da musste ich sie leider enttäuschen. Trauerränder und abgeknabberte Nägel waren das Einzige, womit ich dienen konnte.

„Was immer du damit angestellt hast, weißt du, dass du ein Vermögen vernichtet hast?“ Sie atmete tief durch und versuchte, sich zu beruhigen.

„Weiß ich nicht.“

„Also gibst du es zu.“

„Was?“

„Dass du sie ausgeleert hast, um mich zu ärgern.“ Sie schlug theatralisch ihre Hände vors Gesicht. „Bye, bye, *Azuré*, *Suspicious* und *June!*“

„Nein, habe ich nicht.“ Stimmte ja auch.

„Du bist blöd. Das wird ein Nachspiel haben.“

„Danke gleichfalls!“

Abermals ließ sie unkontrolliert einen fahren, abermals lief ich zur Tür. Diesmal, um nach unten ins Wohnzimmer zu flüchten. Dann lieber Rosa und Papa, wie sie kuschelnd auf dem Sofa saßen und verliebt Händchen hielten.

„Du schuldest mir einundsiebzig Euro siebzig“, rief sie mir nach.
Mannomann, schmierte die sich GOLD auf die Fingernägel oder warum war dieser Nagellack so teuer?
Der Schock musste mir ins Gesicht geschrieben gewesen sein. „Ist was passiert?“, fragte Papa alarmiert, als er mich erblickte.
„Hab noch Hunger“, murmelte ich und lief in die Küche, anstatt mich zu ihnen zu setzen. „Von diesen Suppen wird man ja nicht satt.“
Nie im Leben würde ich ihm gegenüber zugeben, dass ich sie ganz lecker fand.
Während ich mir ein Brot schmierte, kam Lynn in die Küche. Wie gesagt, ich war nirgends mehr vor ihr sicher.
„Ich habe eine Idee, wie du das wiedergutmachen kannst“, sagte sie mit einem angewiderten Blick auf das Nutellaglas und angelte sich einen Joghurt aus dem Kühlschrank.
„Was?“
„Jetzt tu nicht so ahnungslos! Du weißt genau, was ich meine.“ Lynn senkte ihre Stimme, bevor sie weitersprach. „Morgen ist Ostersamstag, da will meine Mutter wie jedes Jahr fünfzig Eier bunt färben. Und weil ich morgen leider, leider auf dem Hundeplatz verabredet bin, musst du für mich einspringen.“ Sagte es, ließ einen fahren, drehte sich auf ihren Barfüßen um und war schon wieder die Treppe hoch auf ihr – mein! – Zimmer verschwunden. *Touché!*

Was blieb mir also anderes übrig, als Rosa am nächsten Tag zu helfen. Hatte ich mich erst noch mit dem Gedanken zu trösten versucht, dass es ja dank dieser modernen Färbefarben eine schnelle Angelegenheit werden würde, erlebte ich eine herbe Enttäuschung. Rosa war nämlich gegen diese künstlichen Farbstoffe, wie sie mir ausführlich erläuterte.

„Erst müssen wir den Pflanzensud kochen", sagte sie und deutete auf Berge von Rote Bete, Holunderbeeren, Spinat und Karotten auf dem Küchentisch.

„Immerhin keine Suppe", rutschte es mir heraus, woraufhin ich einen strafenden Seitenblick von Oma Lisa erntete, die neugierig zuguckte. Natürlich würde die nicht einen Finger rühren. Ostern hatte sie noch nie interessiert.

Es dauerte

E-W-I-G-K-E-I-T-E-N

…

…

…

bis der Farbsud fertig und abgekühlt war und wir die Eier gefärbt hatten. Klar, dass Lynn hierauf keinen Bock hatte. Und klar, dass Yaris nur für Chaos und kaputte Eier gesorgt hätte, weswegen er für heute Küchenverbot hatte. Ich hielt gerade das vorletzte Ei in der Hand, da kam Kassandra in die Küche geschlichen. Sie lief einmal um den Tisch herum, sprang dann auf den Stuhl und schaute mich aufmerksam an. Panisch sah ich mich nach Rosa um, doch die war nach draußen verschwunden, um etwas mit den Bauarbeitern zu klären. Kassandra starrte mich wieder so durchdringend an, als ahnte sie, wem sie die Nacht da draußen auf dem Baum zu verdanken hatte.

Ehe ich mich versah, war Kassandra auf den Küchentisch gesprungen und saß mir jetzt gegenüber. Bestimmt war sie eine *Warrior Cat,* schoss es mir durch den Kopf. Gleich würde sie mich angreifen. Täuschte ich mich oder grollte sie bereits ganz fein? Aus reiner Notwehr, ich schwöre, legte ich das Ei, das bereits in den rötesten Tönen gefärbt war, auf einen Löffel. Den hielt ich dann wie eine Zwille und schleuderte das Ei Richtung Kassandra. Sicherheitshalber warf ich noch ein grünes und ein blaues hinterher. Es machte *Wusch!*, *Wusch!*, *Wusch!* Volltreffer, hurra! Kassandra sprang vom Tisch und rannte nach draußen. Ich konnte nur hoffen, dass sie sich abermals auf den Baum flüchtete und dort für immer bleiben würde. Ich kickte die kaputten Eier unter den Küchenschrank und tauchte zufrieden das letzte Ei in die Farbe. Endlich hatte ich meine Ruhe. Doch die währte leider nicht lange.
„Tupfen, Tupfen, Tupfen – Afro!", hörte ich Yaris draußen krähen. Da kam Rosa auch schon empört in die Küche gestürmt, die bunte Kassandra auf dem Arm.
„Was hast du mit ihr gemacht?", rief sie. „Kannst du mir das bitte erklären?" Täuschte ich mich oder blinzelte Kassandra mich dabei herausfordernd an?
„Gar nichts", antwortete ich so ruhig wie möglich, ließ das Ei in meiner Hand einfach in die Schüssel plumpsen und rannte aus der Küche. „Ihr seid alle doof!", rief ich.
„Und du benimmst dich wie eine Dreijährige!", rief Rosa mir hinterher.

Was ist Dein Lieblingstier?

Ich träume oft von einem eigenen Pferd, das hier auf dem Hof ein wunderbares Leben führen könnte, wenn Oma Lisa nicht dagegen wäre. Es müsste kein schwarzer Hengst sein, ein fuchsbrauner Wallach würde genügen. Ich würde sein Fell glänzend striegeln, ihn frühmorgens vor der Schule füttern und seinen Stall ausmisten. Nachmittags dann würden wir endlos durch die umliegenden Felder und Wälder streifen und im See baden. Überhaupt wäre er mein allerbester Freund, der mich auf unseren Ausritten vor bösen Motorradbanden beschützen und immer den richtigen Heimweg finden würde. Er würde Asterix oder Carino oder Jumper oder King oder Merlin oder Picasso oder Sultan oder Zorro heißen und mich jedes Mal freudig anwiehern, sobald ich den Stall betrete. Natürlich würde ich so oft wie möglich heimlich in seiner Box schlafen und davon wach werden, wie er mir zart seinen warmen Pferdeatem über meine Haare schnaubt. Er wäre mein bester Freund und ich müsste mich nie wieder einsam und alleine fühlen.

Ring frei

Darf ich hereinkommen? Ich habe etwas für dich", sagte Papa. Er öffnete vorsichtig die Tür zur Meisterbude. Ich hatte mich mal wieder im Schuppen versteckt und es mir, mein Strickzeug am Wickel, auf dem Sofa gemütlich gemacht.
„Was gibt's denn?", maulte ich mürrisch. Eigentlich war es Papa bei Höchststrafe verboten, mich hier zu besuchen, das wusste er ganz genau. Aber wenn er mich hier aufsuchte, musste er wirklich etwas Wichtiges auf dem Herzen haben.
„Ich wollte dich sprechen, alleine, deswegen bin ich hier." Irritiert warf er einen Blick auf das blaue Garn,

mit dem ich gerade eine lange Reihe strickte, dann sah er mich durchdringend an.
„Auch schon aufgefallen, dass man hier nirgends mehr seine Ruhe hat?“, sagte ich bissiger als nötig.
„Ach, *Alitschia!*“, seufzte er. „Darf ich mich bitte setzen?“ Er ließ sich umständlich auf dem Sessel nieder.
„Sitzt ja schon.“ Ich hatte die blaue Wolle zusammengerafft und zur Seite gelegt. „Was gibt's?“
„Ich wollte mit dir über gestern reden“, begann er umständlich. „Dein Verhalten lässt wirklich zu wünschen übrig. Ich dachte, wir hätten das bei unserem letzten Gespräch geklärt.“
„Vergiss es. Es war nicht meine Idee, hier auf Großfamilie zu machen“, antwortete ich bissig.
Der gestrige Ostersonntag war so ziemlich das Albernste, was ich je erlebt hatte. Zuerst hatte uns Rosa freigestellt, mit ihr in den Osternacht-Gottesdienst zu gehen, mit der Folge, dass sie natürlich alleine ging. Wer steht schon freiwillig morgens um halb sechs auf? Nur Papa ist ihr zuliebe mitgetrottet. Und dann mussten wir wie die Kleinkinder Ostereier suchen! Rosa hatte sie überall auf dem Hof versteckt, kleine Nester, große Nester, Schokoeier, Schokohasen, Schokomöhren, das volle Osterprogramm eben. Zudem gab es für jeden ein kleines Päckchen: Lego-Star-Wars für Yaris, für Lynn coole Flipflops und für mich ein Shirt, das wohl hip war, zumindest sah es teuer aus. Doch der Einzige, der wirklich mit Feuereifer bei der Sache war, wie verrückt sammelte und suchte und sich über jedes gefundene Ei freute, war Yaris. Nach dem

Osterbrunch – mit Kräutersuppe – hatte ich mich für den restlichen Nachmittag im Schuppen verschanzt und über meinem Strickzeug die Zeit vergessen.

„Ich erwarte von dir etwas mehr Respekt und Entgegenkommen. Rosa gibt sich solche Mühe. Sie meint es ernst“, sagte Papa. „Immerhin investiert sie hier ihr gesamtes Vermögen.“

„Mir doch egal!“, antwortete ich pampig. „Wir haben noch nie Ostern gefeiert, warum ausgerechnet jetzt! Nur weil Rosa das so toll findet ... Bunte Eier, das ist doch was für Babys, die noch an den Osterhasen glauben!“

„Darüber wollte ich auch mit dir reden. Es kann nicht sein, dass du die Katze mit Eiern bewirfst. Die arme Kassandra ist nachhaltig traumatisiert.“ Er schüttelte den Kopf. „Wirklich, Alicia, du benimmst dich sehr kindisch. Von einer fast Dreizehnjährigen hätte ich mehr erwartet.“ Papa sah mich durchdringend an, bevor er fortfuhr. „Deswegen bin ich mir auch nicht sicher, ob ich dir von meiner Entdeckung erzählen soll. Aber da es mit Gloria zu tun hat, finde ich, du hast ein Recht darauf ...“

„Mit Mama?“ Ohne es zu wollen, schossen mir Tränen in die Augen. „Was hast du gefunden?“

„Briefe, Tagebücher, Fotos. In einer Kiste auf dem Dachboden“, antwortete er knapp und ich dachte bei mir: Deswegen hatte Oma Lisa also zugesperrt, sie wusste garantiert davon. Und er war es also, der vor uns da war.

„Ich ahnte, dass sie die alle irgendwo aufbewahrt hatte. Aber nicht, dass sie für dich bestimmt waren. Das erste Buch sollst du an deinem dreizehnten Geburtstag bekommen.“

„Ich soll was?" Atemlos schnappte ich nach Luft. Da kannte ich jahrelang nur das eine Foto von Mama. Und jetzt saß Papa hier und eröffnete mir, dass Mama weit mehr hinterlassen hatte als die unterschiedlichen Versionen ihres Verschwindens. Sie hatte mich nicht vergessen, wie Oma Lisa immer behauptete, im Gegenteil. Sie hatte bewusst etwas für mich aufgeschrieben. Ich würde endlich, endlich die Wahrheit erfahren. Aufgeregt wackelte ich hin und her.

„Wieso erst ab dreizehn?", fragte ich. „Wieso nicht früher? Und wann bekomme ich die anderen?"

„Mit dreizehn, steht extra drauf. Wobei deine Mutter sicherlich meinte, dass du dich auch entsprechend verhältst." Er lächelte mich süffisant an, während er aufstand. „Ich erwarte von dir nicht, dass du dich bei Rosa für dein unmögliches Verhalten entschuldigst. Aber du wirst dich ab sofort anständig benehmen, wieder beim Umbau mit anpacken und weder Lynn noch Kassandra ärgern. Haben wir uns verstanden?"

Ich schluckte. Daher wehte der Wind! Papa war nicht zu mir gekommen, um mich zu trösten oder um mit mir über Mama zu sprechen. Sondern er wollte mich mit den Tagebüchern erpressen.

Enttäuscht und wütend zugleich guckte ich ihn an, ich brauchte einen Moment, um die Wahrheit zu verdauen: Nur weil ich eine Fünf geschrieben hatte, nur weil meine ehemalige, verhasste Mathelehrerin ROSELOTTE FROBOESE gerade mein komplettes Leben auf den Kopf stellte, hatte Papa die Tagebücher meiner Mutter überhaupt entdeckt. Ohne sie wäre er gar nicht auf die Idee gekommen,

den alten Bahnhof umzumodeln. Nie im Leben hätte er freiwillig auf dem Dachboden herumgeräumt – und Mamas Sachen gefunden. Musste ich Rosa jetzt etwa dankbar sein?!
„Einverstanden“, murmelte ich, was hätte ich auch anderes sagen sollen, ich hatte ja keine Wahl. Und wie ich Papa kannte, hatte er diese Tagebücher so gut versteckt, da brauchte ich gar nicht erst anfangen zu suchen.
Fortan gab ich mir Mühe, mich so normal wie möglich zu benehmen. Rosa quittierte es mit einem dankbaren Lächeln, wenn ich ihr beim Frühstückstischdecken half, ihre neuste Suppenkreation lobte oder ihren neuen Schal toll fand. Mit Kassandra hatte ich Waffenstillstand geschlossen, indem ich ihr heimlich unterm Tisch Leckereien zukommen ließ, so einfach war das. Sie schaute mich zwar immer wieder schlitzig-misstrauisch an, ließ mich jedoch in Ruhe. Trotzdem freute ich mich, wenn Carlo auftauchte und sie jagte, da konnte ich leider nichts dafür. Und Yaris hatte ich sowieso längst in mein Herz geschlossen. Er war immer für Überraschungen gut und von einer entwaffnenden Fröhlichkeit, die selbst Oma Lisa ansteckte und dafür sorgte, dass sie sich nicht mehr so oft über Opa Georg ärgerte, wenn er einfach sein olles Fahrrad quer über unser Bahnhofsgelände schob. Außerdem machten die Bauarbeiter so viel Krach, da fiel Yaris' laut lärmendes Verhalten nicht weiter auf.
Einzig Lynn war und blieb doof. An ihre parfümverpestete Art wollte ich mich einfach nicht gewöhnen, das fing morgens beim Aufstehen an und hörte abends beim Zubettgehen auf. Zudem steckte sie ständig mit Daniel zusammen,

sodass ich mich fragte, wessen bester Freund er überhaupt war. Ihrer oder meiner? Die Zeiten, in denen wir alleine im Schuppen abhingen, wurden immer seltener. Entweder war er mit Carlo auf dem Hundeplatz, wohin Lynn ihn natürlich begleitete, wenn es der Umbau erlaubte. Oder er musste seiner Mutter helfen, die ständig irgendwelche Aufgaben und Besorgungen für ihn hatte. Denn Lydia war es ein Dorn im Auge, dass Daniel Lynn in Stöckelschuhen und schulterfreiem Top mit auf den Hundeplatz nahm.

„Sie findet, dass Lynn einen schlechten Einfluss auf mich hat", meinte er schulterzuckend, als ich ihn darauf ansprach. Wir waren gerade damit beschäftigt, einen alten Holzschrank abzubeizen. Rosa hatte mich darum gebeten und ich hatte zuckersüß lächelnd eingewilligt.

„Hauptsache, sie verbietet dir nicht Carlo", meinte ich und trug mit dem Spachtel eine dicke Farbschicht ab.

„Das wird sie nicht. Er ist auch ihr Freund und Beschützer!", antwortete Daniel leichthin. „Doof ist nur, dass sie gegen die Züchterei ist. Aber ich brauche dazu ihre Unterschrift. Kannst du nicht mal mit ihr reden?"

„Ich? Wieso ausgerechnet ich? Frag doch Lynn! Die ist doch seit Neustem deine beste Freundin!" Ärgerlich schubberte ich am Schrank herum. Himmel, wie viele Farbschichten trug der denn noch?

„Du weißt genau, dass meine Mutter dich mag", antwortete er ausweichend. „Bitte, versuche es doch wenigstens!"

„Mal sehen!"

Lydia war so ziemlich die nervigste Erscheinung, die man sich vorstellen konnte. Blass und unter Dauermigräne

leidend, zelebrierte sie ihr Witwendasein. Bibi hatte mal gesagt, es wäre doch praktisch, wenn sie mit meinem Vater zusammenkäme, weil Daniel und ich doch sowieso wie Geschwister aufwachsen würden. In der Tat war Lydia immer nett zu mir, obwohl Opa Georg mit Oma Lisa im Dauerclinch lag. Mit Papa hatte sie sich ein paar Mal zum Kaffeetrinken getroffen und sich wohl insgeheim Hoffnungen gemacht. Doch Lydia mit ihrer strengen Art entsprach nicht dem Typ meines Vaters, sie war eben keine Kerstin. Jetzt schien sie bitter enttäuscht, dass er sich für eine andere entschieden hatte. Zumindest hatte sie Roselottes freundliche Kaffee- und Kuchen-Einladung brüsk abgelehnt.
Mit spitzen Fingern pulte ich in einem kleinen Astloch herum. Irgendetwas steckte darin, ich konnte nur nicht erkennen, was. „Haste mal ’nen Kugelschreiber oder Schraubenzieher?“
Doch Daniel hatte bereits einen Fetzen Papier herausgezogen. Darin eingewickelt war ein feiner Goldring mit einem blauen Stein.
„Sieh an, sieh an!“ Er schnalzte mit der Zunge. „Hier lagern wertvolle Schätze!“
Ich riss ihm den Ring aus der Hand. „Gib her! Das ist meiner!“ Aufgeregt drehte ich ihn zwischen meinen Fingern und versuchte, die Inschrift zu entziffern. „Hier ist etwas eingraviert! Ein L und ein … G. “
„Wieso hat dein Vater den hier versteckt?“
Ich steckte den Ring an meinen linken Mittelfinger, im Märchen würde es heißen: Er passte wie angegossen.

„Wieso *Leonard?* Die Initialen könnten auch für Lisa und Günther stehen, zum Beispiel."
„Na, dann frag deine Oma mal ..." Daniel grinste.
„Lieber Papa!" Insgeheim nahm ich mir vor, den Ring in meiner Goodie-Kiste verschwinden zu lassen. Ohne nachzufragen.
„Also, kommst du jetzt mit oder nicht?", fragte Daniel, als wir mit dem alten Schrank fertig waren. „Bitte, Ali-c-i-a!" Er sah mich flehend an. Diesen Danielblick kannte ich, also was blieb mir anderes übrig. So saß ich kurz darauf bei Peterlics in der Küche, futterte Nusskuchen und erwähnte beiläufig, wie toll Carlo sei, wie viel Geld man mit der Züchterei verdienen würde undsoweiterundsoweiterundsoweiter. Lydia nickte und überlegte und wog ab, und wir hatten sie gerade so weit, mit allem einverstanden zu sein, da fiel ihr Blick auf meine linke Hand. „Woher hast du den?", fragte sie atemlos und deutete auf meinen Ring. Sie war ganz blass geworden.
„Äh, den hat mir ... äh, mein Vater geschenkt." Die Wahrheit wollte ich ihr lieber nicht erzählen, am Ende hätte sie mir noch Diebstahl vorgeworfen.
„Dein Vater?" Sie wirkte aufgeregt. Dann hatte sie sich wieder im Griff. „Er ... er ist schön."
„Danke." Irritiert suchte ich Daniels Blick, doch der zuckte nur ratlos mit den Schultern.
„Also, was ist jetzt? Darf ich mit Carlo die Zuchttauglichkeitsprüfung ablegen?", hakte er nach.
„Jaja", antwortete seine Mutter gedankenverloren, stand auf und räumte das Geschirr ab.

„Was sollte das denn? Woher kennt sie den Ring?“, fragte ich ihn, als wir später mit Carlo gemeinsam über die Felder stromerten. Das hatten wir lange nicht mehr gemacht und es fühlte sich fast wie früher an, als es noch keine Rosa und Lynn in unserem Leben gab.
„Keine Ahnung“, antwortete er. „Seit bei euch drüben umgebaut wird, ist sie öfters so komisch.“
„Also stimmt es, was Bibi immer behauptet hat“, kicherte ich. „Deine Mutter ist heimlich in meinen Vater verliebt! Da hätte sie mal früher kommen müssen, dann wäre alles nicht so kompliziert.“
„Du meinst, mit meiner Mutter wäre es leichter für dich?“ Daniel lachte bitter. „Hast du ’ne Ahnung! Im Ernst jetzt: Sei froh, dass Rosa bei euch ist. Guck doch, was sie alles schon verändert hat. Endlich ist mal was los! Ich wünschte, sie käme mal zu uns rüber …“ Er seufzte und ich wusste genau, worauf er anspielte. Bei Peterlics war zwar alles picobello sauber, aber in Wahrheit war auch dieses Haus in die Jahre gekommen und lechzte nach einer Farbauffrischung. Langweilig war es außerdem.
„Und Lynn findest du ja auch ganz toll“, sagte ich ihm auf den Kopf zu.
Daniel antwortete nicht, aber so rot, wie er anlief, konnte ich mir seine Antwort schon denken. Dabei war ich bisher der sicheren Meinung gewesen, er wäre heimlich in Bibi verknallt, weil er in der Schule immer unauffällig auffällig ihre Nähe suchte. Schweigend liefen wir zurück, jeder für sich in seine Gedanken versunken. Daniel war mein bester Freund und schon oft hatte ich

ihn über seine Mutter stöhnen hören, aber noch nie hatte er mir so leidgetan wie in jenem Moment. Ich wusste nicht, was ich schlimmer finden sollte: Die miefig piefige Enge seines Zuhauses samt Lydias erdrückender Liebe oder Roselottes Geschäftigkeit, mit der sie die Dinge im alten Bahnhof neu regelte und alles veränderte. Sogar Oma Lisa hatte sie im Griff, die sich für ihre Verhältnisse erstaunlich friedlich verhielt und es offensichtlich sehr genoss, sich nicht mehr alleine um alles kümmern zu müssen.

Vier Tage später hatte mich dann der Schulalltag wieder. Obwohl sich mein Leben in den letzten beiden Wochen komplett gedreht hatte, fühlte sich dieser Teil merkwürdig vertraut an. Der Bus kam wie immer eine Minute zu früh, der Gong schepperte und der Klassensaal müffelte nach vergammelten Apfelbutzen.

„Alicia, ich werde dir für immer dankbar sein!“, begrüßte mich Bibi überschwänglich. Sie war hübsch gebräunt und trug ein lässiges, gestreiftes Shirt, darunter tatsächlich ein Bikini-Oberteil. „Einzig du allein hast uns von *Roselotte Froboese* erlöst! Die gesamte Klasse steht tief in deiner Schuld!“

Die anderen applaudierten, doch mir war nicht nach feiern zumute.

„Fragt nicht!“, winkte ich ab und schnitt eine Grimasse. Dann zog ich Bibi zur Seite und erzählte ihr von meinen Ferien und von Lynn mit ihren grässlichen Angewohnheiten.

„Das Schlimmste ist: Sie geht ab heute auf unsere Schule. Stell dir vor, mitten im Schuljahr!“, jammerte ich. „Ich bin nirgends mehr vor ihr sicher!“

„Wir sind ja bei dir!“, tröstete mich Bibi. „Das kann alles nicht so schlimm sein wie die *Dummblöd* in Mathe.“

„Du hast ja keine Ahnung.“

Tatsächlich entpuppte sich die neue Mathelehrerin als Glücksfall. Klar, mathematisch KORREKT und EXAKT erklärte sie uns und zu Daniels Zufriedenheit die kompliziertesten Gleichungen. Sie sah aus wie eine von Papas Kerstins. Vielleicht würde ich es ja mit einer Sechs in der nächsten Arbeit schaffen, dass er zu ihr in die Sprechstunde käme, und dann ...

Dafür gerieten die Pausen zum Spießrutenlauf. Längst hatte sich herumgesprochen, dass die Froboese ein Verhältnis mit meinem Vater hatte und bei uns zu Hause auf Stiefmutter machte. Entsprechend erntete ich gepfefferte Kommentare, wenn ich mir am Ständchen Gummischlangen kaufte oder am Vertretungsplan nachguckte.

„Machste jetzt Mathe-Abi?“ – „Des einen Freud, des anderen Leid“ – waren noch die nettesten Sprüche, die ich zu hören bekam. Obwohl jeder wusste, wie durchgeknallt die FROBOESE seinerzeit war, erntete ich statt Mitleid nur hämischen Spott.

„Mach dir nichts draus, das ist bald vergessen“, versuchte mich Bibi zu trösten, als wir in der Pause auf der Bank saßen, „irgendwann gewöhnen sie sich dran.“

Sie schielte zu Daniel, der sie an jenem Morgen komplett ignorierte.

„Ich werde mich nie daran gewöhnen“, seufzte ich. „Und an die Tussi da erst recht nicht.“ Ich deutete auf Lynn, die gerade mit wippendem Pferdeschwanz über den Schulhof stolziert kam. Im Gegensatz zu mir schien ihr der schlechte Ruf ihrer Mutter nicht das Geringste auszumachen. Im Gegenteil: Mit ihrem supermodischen Outfit und ihren High Heels stand sie sofort im Mittelpunkt der Klasse, sämtliche Mädchen der Jahrgangsstufe wollten mit ihr befreundet sein und ich ahnte, dass es nur eine Frage der Zeit war, bis sie die alle zu uns nach Hause einlud.
„Also, ich finde, sie sieht super aus“, meinte Bibi. „Und ihre Klamotten … Sie hat echt einen tollen Style, wie ein Model.“ Täuschte ich mich oder funkelten ihre Augen dabei? Wenn Bibi wüsste, dass Daniel der gleichen Meinung war, würde sie ihre Ansicht rasch ändern.
Ich hatte weder Ahnung von Mode noch von Sendungen wie *Germany's next Topmodel.* Außerdem war es mir herzlich egal, von welcher Marke Lynns Jacken und Hosen waren, das interessierte mich alles nicht. Sie besetzte mein Zimmer mit Puschelkram, den Kühlschrank mit ihrem fettarmen Joghurt, verseuchte das Badezimmer mit ihrem Parfüm und nahm mir Papa weg. *Das* interessierte mich. Und das Glück meiner besten Freundin.
„Kannst sie ja fragen, ob sie dir ihre neusten Stylingtipps verrät“, sagte ich zu Bibi. „Aber eins solltest du wissen: Sie hat ein Auge auf Daniel geworfen und ich glaube, ihm gefällt das. Findest du sie jetzt immer noch so toll?“ Lauernd sah ich meine Freundin von der Seite an. Volltreffer.

„Ich verstehe." Bibi verzog das Gesicht und dachte einen Moment lang nach. Dann hielt sie mir die Hand hin. „Ab heute kämpfst du nicht mehr alleine!"

Als ich von der Schule kam, erwartete mich die nächste Katastrophe. Und zwar nicht, weil ein Bauarbeiter von der Leiter gestürzt und sich den Fuß gebrochen hatte. Auch nicht, weil Yaris mit einer blutenden Nase von der Schule nach Hause gekommen war. Nein, Rosa und mein Vater machten betretene Gesichter wie auf ihrer eigenen Beerdigung, weil eine mir unbekannte Frau im Hof stand. Sie trug eins dieser grässlich bunt gemixten Blumenkleider und musterte mich mit zusammengekniffenen Augen. Ihr Mund wirkte wie ein roter Strich in ihrem Gesicht, sodass ich mich unwillkürlich fragte, ob da eine Gabel dazwischen passte.

„Das ist Silke Krause, die Exfrau meines verstorbenen Bruders Robert", stellte Rosa sie vor. „Und sie will ihr Geld zurück."

Wovor hast Du Angst?

Ich bin nicht schwindelfrei. Wenn ich wie neulich beim Klassenausflug hoch auf den Kölner Dom steigen muss, bekomme ich weiche Knie und zittern am Körper.
Ich finde Feuer unheimlich, weil ich befürchte, dass die Flammen mich in ihre rotgelbe Glut ziehen und verschlingen.
Spinnen.
Ich habe Angst davor, Daniel als besten Kumpel zu verlieren. An Lynn.
Ich träume immer wieder, dass ich falle. Tief, tief, in ein schwarzes Loch. Kurz vor dem Aufprall wache ich jedes Mal auf, erschrocken, schweißgebadet, nach Luft japsend.
Jemand hat mich in letzter Sekunde aufgefangen, gerettet. Es war Mama. Immer.

112

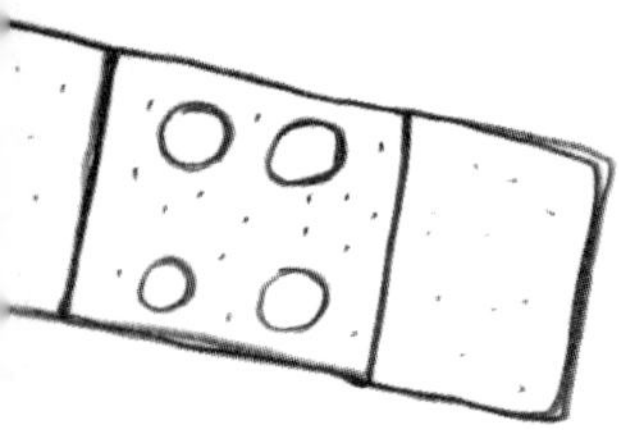

Grubentiefer Ärger

Die Stimmung bei uns zu Hause war mies, denkbar mies. Das zweite Mal, seit Rosa bei uns eingezogen war, hörte ich sie mit Papa streiten. Hatte ich mich am Anfang noch danach gesehnt, dass sie mit einem Riesenkrach für immer aus meinem Leben verschwinden würde, hatte ich jetzt plötzlich Schiss davor. Lynn wirkte merkwürdig bedrückt, selbst Yaris machte weniger Unsinn als sonst. Und Oma Lisa äußerte sich mehr als einmal sehr besorgt über das Auftauchen von Roselottes Schwägerin.

„Das kann die doch nicht einfach machen", räsonierte sie eines Samstagmorgens in der Küche. Es war zur Erdbeerzeit und sie war gerade dabei, Marmelade zu kochen. „Wer gibt ihr denn das Recht dazu?"

„Recht hat sie wohl nicht", meinte mein Vater, der die ersten Probierkleckse vom Topfrand abschleckte. „Aber es geht um Geld, um sehr viel Geld, da versucht sie alles."

Ich blickte die komplizierte Angelegenheit im Zusammenhang mit Roselottes Schwägerin nicht. Eigentlich war die schon lange geschieden, hatte ihren rechtmäßigen Unterhalt bekommen und nach Roberts Tod sogar einen kleinen Betrag für sich. Für ihre Zwillinge Tim und Tom sowieso.

„Macht euch keine Sorgen", versuchte Papa, Oma und mich zu beruhigen. „Die hat überhaupt keine Chance. Zu dem Zeitpunkt, als Robert mit seiner Erfindung plötzlich so viel Geld verdient hat, waren die beiden längst geschieden."

„Aber warum taucht sie dann hier auf und macht uns das Leben schwer?", fragte ich. Das war mir so rausgerutscht, eigentlich konnte es mir ja nur recht sein.

„Uns?" Papa sah mich überrascht an. Er lächelte leise, bevor er sagte: „Wir wissen es nicht. Offensichtlich hat sie mit Rosa noch eine alte Rechnung offen. Oder sie ist einfach nur geldgierig. Zumindest hat sie angekündigt, die Denkmalschutzbehörde über die geplanten Veränderungen zu informieren."

„Autsch!" Oma Lisa wäre beinahe der Topf mit der kochend heißen Marmelade aus den Händen gefallen.

„Und was passiert dann?", fragte ich, während ich Oma half aufzuwischen.

„Dann gibt es zahlreiche Auflagen und Beschränkungen, wo und wie und was wir renovieren dürfen und was nicht.“ Oma Lisa hatte sich wieder im Griff. „Das hatten wir alles schon einmal. Oder was meinst du, warum hier manche Mauern so aussehen, wie sie aussehen?“ Sie verzog verächtlich das Gesicht.

Mir ging ein Licht auf. Deswegen hatte sie hier nie etwas gemacht, deswegen war der Bahnhof so verfallen und nur teilweise modernisiert. Mir sank das Herz in die Chucks.

„Heißt das, wir dürfen hier gar nicht umbauen und ich muss für immer mit Lynn in einem Zimmer wohnen?“

„Ich hoffe nicht“, meinte Papa seufzend. „Am Montag haben wir einen Termin beim Amt für Denkmalpflege, danach wissen wir mehr.“

„Und am Nachmittag kommt Silke, sie hat soeben ihren Besuch angekündigt“, sagte Rosa bitter, die in die Küche kam und das Funktelefon auf den Tisch knallte. „Sie möchte sich *gütlich* einigen, die blöde Ziege. Geld, der geht es nur ums Geld, was denkt die sich eigentlich?“

Sie schenkte sich einen pinken Becher mit grünem Tee ein.

„Das fragen wir sie am Montag“, meinte mein Vater leichthin. „Und bis dahin machen wir weiter. Wir stellen sie einfach vor vollendete Tatsachen! Bis gestern hat sich niemand vom Denkmalschutz für dieses alte Gebäude interessiert, die hatten den alten Bahnhof doch längst vergessen. Und wenn Original-Türen oder Wände einfach verschwunden sind, uuups … Tut mir leid! Notfalls jagen wir ihr Carlo auf den Hals!“ Papa deutete lachend nach draußen, wo Yaris mit Carlo Fangen spielte.

„Dein Wort in Gottes Ohr“, murmelte Oma Lisa. Energisch füllte sie ihre Marmelade in die bereitstehenden Gläser. Ich tat ihr ausnahmsweise den Gefallen und schraubte die Deckel darauf.

Das restliche Wochenende legten wir noch mal einen Zahn zu und ackerten wie die Blöden. Die Bauarbeiter gaben ihr Bestes, sie waren froh über jegliche Unterstützung. Schließlich hieß es, binnen kürzester Zeit das Dachgeschoss auszubauen und einen kompletten Gebäudetrakt zu modernisieren. Ende Juni wollten Rosa und Papa ihr *Hostel* eröffnen. Das war mehr als ehrgeizig, wie er bissig scherzte.

So grundierten Daniel, Lynn und ich im Akkord meterweise Wände, die wir später gemeinsam mit Papa ochsenblutrot, bordeaux, grasgrün, purple und türkis strichen, während Rosa sich der Gestaltung der Innenräume widmete. Das hieß im Klartext: Möbel aussuchen und bestellen, Bettwäsche, Handtücher und Geschirr ordern.

„Die haben sich gewundert, dass ich sofort alles bezahlt habe, sogar die Ledergarnituren“, erklärte sie zufrieden, als sie nach ihrer ausführlichen Einkaufstour zu uns an den Abendbrottisch kam, es gab Borschtsch.

Papa grinste sie an und drückte ihr dankbar einen Kuss auf die Wange.

„Gute Idee! Einem nackten Neger kann man eben nicht in die Tasche greifen“, witzelte Oma Lisa leichthin.

Lynn rollte die Augen. „Solche Sprüche akzeptieren wir hier nicht“, sagte sie laut und deutete mit dem Kopf Richtung Yaris, der ungerührt mit seiner Suppe spielte und so tat, als hätte er nichts gehört.

„Schon gut, Liebes. Zu Oma Lisas Zeiten war das noch kein Problem, sie meint es nicht so“, beschwichtigte sie Rosa. Um vom Thema abzulenken, gab sie ein paar Anekdoten von ihren Einkaufserlebnissen zum Besten, doch niemand hörte ihr richtig zu, die Stimmung blieb gedrückt. Zum ersten Mal in meinem Leben schämte ich mich für meine Oma, die an Peinlichkeiten wirklich kaum zu überbieten war.

Am Montag ging es mir so mies wie noch nie in meinem Leben. Am liebsten hätte ich Schule geschwänzt, doch wir schrieben eine Mathearbeit und dank Daniel, der mich während des Pinselns mit Formeln getriezt hatte, war ich diesmal gut vorbereitet. Mit wackeligen Knien und grummeligem Bauch verbrachte ich den Vormittag, Lynn schien sich nicht besser zu fühlen. Als wir uns am frühen Nachmittag zufällig unterm Walnussbaum trafen, wirkte sie blass und unruhig.
„Sie kommt jede Minute“, sagte sie. „Ich wäre so gerne dabei, aber sie haben mich rausgeschmissen.“
„Warte, ich hab eine Idee.“ Ich lief in die Küche, wo Papa und Rosa vorm Laptop brüteten. „Kann ich einen Apfel haben?“, fragte ich scheinheilig, während ich aus dem Fenster schielte. „Da kommt sie!“
In der Tat kam gerade ein weißer Scirocco auf den Hof gerauscht. Silke stieg aus, diesmal in einem weißen Hosenanzug, dafür aber mit einer bunt bedruckten Handtasche.
„Na dann!“ Rosa war aufgestanden, um sie zu begrüßen.
„Du wartest.“ Mit diesen Worten bugsierte Papa mich nach draußen. Zum Glück war es mir gelungen, vorher unbemerkt das Fenster zu öffnen.

„Schon gut." Ich tat so, als ginge ich auf mein Zimmer. In Wirklichkeit schlich ich mich drei Minuten später im Schutz der Hauswand unters Küchenfenster. Lynn, die immer noch wie angewurzelt unter dem Walnussbaum stand, grinste breit, als ich sie zu mir winkte.

„Pssst." Wir rückten zusammen und spitzten die Ohren

„... habe ich ein Verfahren zur Feststellung der Denkmalschutzpflege beantragt", hörten wir Silke sagen.

„Das bedeutet noch lange nichts", erwiderte mein Vater mit fester Stimme. „Warten wir es einfach ab."

„Sie haben leicht reden, Herr König", höhnte Silke. „Ich habe zwei Jungs zu ernähren."

„Wenn ich recht informiert bin, hat Robert bestens für die Kinder gesorgt", warf Rosa bissig ein. „Damit kannst du mich nicht erpressen."

„Aber Zwillinge! Die brauchen alles doppelt, sie ..."

„Die hat sie doch nicht mehr alle!" Lynn stupste mich in die Seite. „Tim und Tom sind doch längst aus dem Alter draußen. So eine gemeine Ziege!", wisperte sie. „Hast du nicht eine Idee, wie wir sie ärgern können?" Sie blitzte mich unternehmungslustig an.

Ich dachte einen Moment lang nach. Seit der Aktion mit Kassandra war mir die Lust auf Streichespielen gründlich vergangen. Trotzdem ...

„Klar, los komm." Ich zog sie mit zum Schuppen, öffnete mit fliegenden Fingern das Schloss und drückte ihr kurz darauf eine Dose Schmieröl und einen alten Lappen in die Hand. Dann suchte ich unter meinem Strickzeug nach einer spitzen Nadel.

„Was hast du vor?“, fragte Lynn.

„Frag nicht, mach!“ Wir standen wieder vor Silkes Auto, das sie zum Glück nicht verriegelt hatte. Ich begann, wie eine Wilde mit der Nadel feine Löcher in die schwarzen Ledersitze zu piksen.

„Spinnst du?“

„Los, worauf wartest du noch, du musst das Öl einreiben“, rief ich ihr zu. „Das gibt lustige Kackhosen!“

Kichernd machte sich Lynn an die Arbeit und so kamen wir beide später mit glänzender Laune in die Küche marschiert, nachdem Silke unser Anwesen verlassen hatte. Dort saßen Papa und Rosa mit finsterer Miene.

„Wie ist es gelaufen?“, fragte ich. „Hat sie eine Chance?“

„Ich glaube nicht“, antwortete Papa.

„Sie wird nicht eher ruhen, bis sie das Geld hat.“ Rosa sprang energisch auf. „Bis dahin wird Silke uns hier das Leben zur Hölle machen und jede Gelegenheit nutzen, um uns anzuschwärzen, bei welcher Behörde auch immer.“

„Aber nicht mit uns!“ Papa umarmte sie. „Solange wir zusammenhalten, kann sie nichts tun. Hast doch gemerkt, wie schnell sie in die Enge zu treiben ist. Die tut nur so!“

„Ich hoffe, du hast recht.“ Rosa schmiegte sich an ihn.

Lynn und ich sahen uns erleichtert an, ganz kurz nur, dann war der Augenblick auch schon wieder vorbei. Einerseits war ich froh, dass Silke erst mal weg war. Andererseits war das hier eine Nummer zu viel Familie für mich.

In diesem Moment ertönte von draußen ein gellender Schrei.

„Das kam aus dem Schuppen“, sagte ich tonlos. Mist, verdammter! Ich hatte vor lauter Silke vergessen, die Tür abzusperren.
„Yaris!!!“ Rosa stürmte los, wir hinterher.
„Er ist in die Grube gefallen!“ Beherzt sprang ich in die Tiefe, oben kniete Rosa.
„Yaris, kannst du mich hören, sag doch was?“ Behutsam streichelte ich seinen Kopf, er blutete.
„Schnell, ruft einen Krankenwagen.“
Papa fummelte an seinem Handy, doch Lynn hatte längst auf ihrem die 112 gewählt.
Ewige Minuten lang hockte ich unten bei Yaris in der Grube und redete auf ihn ein.
„Komm schon, sag was …“ Wie im Film klopfte ich ihm auf die Wangen, aber Yaris gab keinen Pieps von sich. „Du darfst auch im Schuppen spielen! Wir legen Bretter über die Grube … und installieren eine Schaukel. Siehst du, dort oben! Papa und Rosa erlauben das bestimmt. Aber bitte, bitte, mach die Augen auf!“ Ich hatte mein Sweatshirt ausgezogen und Yaris unter den Kopf gelegt. Täuschte ich mich oder hatten seine Augen bei dem Wort Schaukel leicht geblinzelt?
„Vermutlich nur eine Gehirnerschütterung. Mehr wissen wir, wenn wir ihn in der Klinik gründlich untersucht haben“, versuchte der Notarzt, der keine drei Minuten später auf den Hof gerauscht kam, uns zu beruhigen. Sie hatten Yaris aus der Grube gehoben und nun lag er bleich auf der Trage. Ich hätte nie gedacht, dass jemand mit so dunkler Haut so blass werden konnte.

Er wimmerte leise vor sich hin, immerhin war er wieder bei Bewusstsein.

In jener Nacht konnte ich nicht schlafen. Immer wieder kreisten meine Gedanken um Yaris, wie er bewusstlos in der Grube lag. Warum hatte ich auch vergessen, die Tür abzusperren? Warum hatten wir die Grube nicht gesichert? Ich hätte wissen müssen, dass dieser kleine, wilde Kerl nur auf eine Gelegenheit wartete, endlich den geheimnisvollen Schuppen zu erkunden.

„Mach dir keine Vorwürfe", kam es aus Lynns Ecke. Offensichtlich lag sie ebenfalls wach. „Vor Yaris' Neugier ist nichts und niemand sicher."

„Trotzdem! Es war meine Schuld, ich hätte die Tür verriegeln müssen."

„Irgendwann hätte er dir den Schlüssel geklaut!"

„Ich hätte Bretter drüberlegen müssen!"

„Dann hätte er sich beim Wegräumen einen Splitter zugezogen." Lynn seufzte. Sie hockte mittlerweile mit angezogenen Knien auf ihrem Bett und lehnte den Kopf an die Wand.

Ich richtete mich auf. Durch die Dunkelheit sahen wir uns an.

„Und wieso taucht Silke plötzlich hier auf und macht Stress?", fragte sie und fügte dann, für ihre Verhältnisse erstaunlich vernünftig, hinzu: „Echt, Alicia, es gibt Dinge, die passieren einfach, da kann keiner was dafür. Mach dir keinen Kopf." Sie schwieg eine Weile, bevor sie leise fortfuhr. „Schon seltsam. Anfangs mochte ich Yaris nicht besonders, aber mittlerweile ist er mir wirklich ans Herz gewachsen. Schrecklich, wenn er jetzt etwas Schlimmes hätte und …“ Lynn schluchzte auf.

Ohne weiter darüber nachzudenken, ging ich zu ihr und setzte mich neben sie, auch wenn mir selbst nach losheulen zumute war. Mir ging es ja ähnlich. Yaris war ein Quälgeist, aber trotzdem fühlte ich mich ihm auf besondere Weise verbunden. Schließlich wusste auch er nicht, wo SEINE Mutter war.

„Yaris schafft das schon“, versuchte ich, zuversichtlich zu klingen, während wir Schulter an Schulter gelehnt dasaßen. „Habt ihr nicht selbst erzählt, dass er sogar bei diesem Sturz vom Balkon tausend Schutzengel hatte? Dann überlebt er so eine läppische, ölverschmierte Lokomotivuntersuchungsgrube ganz bestimmt auch.“ Trotzdem war mir reichlich bammelig zumute, ich machte mir doch selbst genügend Gedanken. Ich reichte Lynn ein Taschentuch, sie schnäuzte dankbar hinein.

„Yaris kam in unsere Familie, da war er gerade sechs Monate alt“, begann sie zu erzählen, obwohl ich gar nicht danach gefragt hatte. „Mama hatte irgendwo vom tragischen Schicksal seiner Familie erfahren und sich kurz entschlossen um das Adoptionsrecht beworben. Wobei unser Vater anfangs überhaupt nicht damit einverstanden war.“

„Wo ist der überhaupt?“ Die Frage war mir so herausgerutscht, aber insgeheim wunderte ich mich schon lange, was mit ihm los war. Es wurde nie über ihn gesprochen. Erschrocken hielt ich inne und wartete auf Lynns Reaktion.

„Dad … der lebt auf Mallorca", antwortete Lynn. Sie atmete tief durch, bevor sie hinzufügte: „Er leitet dort gemeinsam mit seinem neuen Freund ein Wellnesshotel."

„Seinem Freund?!"

„Miguel. Das war vielleicht ein Schock, kannst du dir vorstellen. Dass sich unsere Eltern nicht mehr besonders nahe waren, ahnte ich schon lange, ständig gab es Streit und Ärger. Aber dass Dad schwul ist … immerhin hat er ja Philipp und mich … Ich meine, ich wollte sagen: Er war es ja mal nicht." Lynn hatte sich verhaspelt und den Kopf gesenkt. Gut, dass es dunkel war, ich glaube, mein Gesichtsausdruck war in diesem Moment besonders dämlich. Mir war es ja schon schrecklich peinlich, wenn sich Papa und Rosa gemeinsam ins Badezimmer einschlossen. Aber wenn ich mir vorstellte, er hätte einen Mann bei sich …

„Jetzt sei nicht so intolerant", meinte Lynn, als ob sie meine Gedanken lesen könne, und stupste mich in die Seite, „Dad ist glücklich! Und er hat uns in den Sommerferien zu sich ans Meer eingeladen!"

Ich seufzte. „Immerhin weißt du, wo er steckt." Ich wollte ihr gerade von meiner Mutter berichten, da piepste ihr Handy.

Alles okay, Yaris hat Glück im Unglück gehabt. In drei Tagen ist er wieder zu Hause, lasen wir erleichtert auf dem Display.

Was macht Dich froh?

Algenfreie Aquarien, moderne Bahnhöfe, Carlos Hundeblick, Daniel als Freund zu haben, Eier nach Katzen werfen , fette Frösche, Gitarre spielen, blonde Haare!!!, facebookartige Interviews, schneefreie Januare, kuscheln, Liedtexte übersetzen, Mutternachrichten, Nutella, fröhliche Omas, Pausen, Quarkbrote, Ringelblumen zwischen den Gleisen, Sonnenaufgänge, Gelati-Träume, Urlaub in Italien, geheimnisvolle Verstrickungen, Walnussbäume mit langen Ästen, sofas in XXL, Yaris' späßchen, weiße Zäune.

(K)ein Hundeherz für Bibi

Jetzt wird alles gut“, sagte Rosa eines Sonntagmorgens. Sie hatte einen Becher Yogi-Tee in der Hand und ein rosa Tuch um den Hals gebunden, während sie aus dem Küchenfenster nach draußen blickte, wo Yaris eifrig mit Carlo Sitz und Platz übte. Da waren sein Unfall und der Ärger mit Silke fast drei Wochen her.

„Wollen wir es hoffen“, murmelte ich und angelte mir ein Frühstückshörnchen. Insgeheim war auch ich erleichtert, dass sich die miese Stimmung bei uns wieder gelegt hatte. Nie hätte ich gedacht, dass es je so weit kommen würde, aber ich musste ehrlich zugeben, dass das Leben hier auf dem Hof mittlerweile viel angenehmer geworden war. Das fing bei guter Laune am Frühstückstisch an und hörte bei leckerer Suppe abends auf. Außerdem war keine Wand mehr feucht, das Dach endlich dicht und der modrige Geruch aus dem Hausflur verschwunden. Alles war hell und freundlich und unser Anwesen war mittlerweile wirklich sehr *charmant*.

Der Umbau war so gut wie abgeschlossen, die Handwerker hatten ganze Arbeit geleistet. Viel wichtiger war aber, dass die Denkmalschutzbehörde kein Interesse signalisiert hatte, sich einzumischen, und Silke unverrichteter Dinge abziehen musste. Was nicht hieß, dass sie stillhalten würde, wie Rosa düster prophezeite.

Papa pfiff vor sich hin, als er in die Küche kam. „Ich habe eine gute und eine schlechte Nachricht“, sagte er vergnügt und gab erst mir, dann Rosa einen Kuss auf die Wange. „Welche wollt ihr zuerst hören?“

„Spuck's aus!“ Sie schmiegte sich an ihn, während ich alleine dastand und Würgreflexe bekam. Ich konnte mich einfach nicht daran gewöhnen, dass die beiden vor meinen Augen herumküssten.

„Erst die gute!“, rief ich.

„Wir machen ein großes Einweihungsfest an deinem Geburtstag!“ Papa schaute mich erwartungsvoll an.

„Das soll die gute sein?“ Enttäuscht wandte ich mich ab. Mein Geburtstag war dieses Jahr etwas Besonderes für mich: Ich sollte das erste Tagebuch meiner Mutter erhalten. Hatte er das etwa vergessen? Dieses wichtige

Ereignis würde ich doch nicht mit zig anderen Gästen teilen!

„Und was ist die schlechte?", wollte Rosa wissen.

Papa atmete tief durch. „Ich habe gestern Abend noch mit dem Bauleiter ein ausführliches Gespräch geführt. Leider gibt es Probleme beim Dachausbau, es müssen mehr Trägerbalken ersetzt werden als gedacht. Das bedeutet Verzögerungen und …"

„… dass Lynn vorerst in meinem Zimmer wohnen bleibt", schloss ich seinen Bericht. „Na toll! Von wegen alles wird gut! Feiert doch alleine!" Vor Wut und Ärger schossen mir Tränen in die Augen. Gerade eben noch hatte ich mich auf meinen Geburtstag gefreut, in meinem eigenen, lichtdurchfluteten Zimmer, in *meinem* Raum. Wütend sprang ich auf und flüchtete in den Schuppen, wo ich mir die rote Wolle schnappte und nicht eher aufhörte zu stricken, bis das Knäuel aufgebraucht war.

„Was ist denn mit dir? Ich habe dich überall gesucht." Daniel tauchte atemlos in der Meisterbude auf.

„Was soll schon sein? Alles öde." Seufzend blickte ich ihn an. „Und was ist mit dir? Nicht auf dem Hundeplatz?"

„Heute nicht." Er ließ sich in den Sessel fallen. „Carlo ist nicht in Form."

„Gerade eben sah er aber noch ganz munter aus." Ich schaute Daniel prüfend an. „Sag schon, was ist los? Ist es wieder deine Mutter?"

„Nein." Er schüttelte den Kopf, setzte an, wollte etwas sagen, winkte dann ab. „Ach, das verstehst du sowieso nicht."

„Dann kann ich dir auch nicht helfen." Ich zuckte gleichgültig mit den Schultern. Daniel hatte sich in den letzten Wochen verändert und ich glaubte, es hatte mit Lynn zu tun. Wann immer sie in seiner Nähe auftauchte, wurden seine Bewegungen anders, sein Lachen wirkte verkrampft und aus meinem lässigen Kumpel wurde ein unsicherer Daniel, wie ich ihn gar nicht kannte. Ihr schmeichelte sein Verhalten natürlich, aber neulich hatte ich sie am Telefon über „diesen Milchbubi" lästern hören. Damit konnte sie nur Daniel gemeint haben.
„Ich geh dann mal wieder, man sieht sich. Hab gehört, bei euch soll's demnächst eine große Einweihungsfeier geben, da gibt es sicher viel zu tun." Daniel war aufgestanden und lief zur Tür. Plötzlich tat er mir leid, wie er mit hängenden Schultern davontrottete. Einerseits war ich immer noch sauer auf ihn, weil er sich mit Lynn angefreundet hatte, anstatt sich mit mir gegen sie zu verbünden. Seit der Sache mit Yaris hatten wir zwar so etwas wie Waffenstillstand geschlossen, aber das bedeutete noch lange nicht, dass wir beste Freundinnen waren. Von daher geschah es ihm nur recht, wenn sie mit ihm spielte. Andererseits ...
„Falls es dich interessiert: Lynn ist mit ihrer Freundin an den See gefahren", rief ich ihm hinterher. Da drehte sich Daniel um und lächelte mich an. Und ich hatte ein schlechtes Gewissen wegen Bibi. Was war jetzt schlimmer: einen unglücklichen besten Freund zu haben oder eine unglückliche beste Freundin?
Die Antwort bekam ich, als mich Bibi am nächsten Morgen in der Schule traurig begrüßte.

„Hey, was ist los?“, wollte ich wissen.
„Ach, frag nicht.“
„Jetzt pack schon aus“, hakte ich nach und ließ mich neben sie auf meinem Platz nieder.
„Lynn ist mit Daniel zusammen!“, schniefte sie leise.
„Woher weißt du das?“, wisperte ich zurück. Die Tuszynski war mittlerweile aufgetaucht und hatte mit dem Deutschunterricht begonnen.
„Ich habe sie gerade eben auf dem Mädchenklo belauscht, als sie ihren Freundinnen von ihm vorschwärmte …“
Während die Tuszynski vorne das Smartboard vollkritzelte, dachte ich nach. Hatte Lynn wirklich Daniel gemeint?
„Du musst dich verhört haben“, flüsterte ich Bibi zu. „Lynn interessiert sich weder für kleine Jungs noch für Hunde.“
Tatsächlich war Daniel mit Carlo noch zum See geradelt, aber Lynn hatte sich vor ihrer Freundin nur über *diesen Spargeltarzan* lustig gemacht, wie er mir am Abend zerknirscht am Telefon erzählte. Keine Rede von einem romantischen Rendezvous! Und wenn Daniel freiwillig anrief, um sich von mir trösten zu lassen, hatte das etwas zu bedeuten.
Ich hatte von diesen Liebesdingen keine Ahnung, aber eins kapierte ich: Außer Daniel und Bibi hatte ich keine echten Freunde. Und wenn die beiden traurig waren, hatte ich keine Wahl, ich musste etwas tun. Irgendwas.
„Wolltest du nicht wissen, wie der Bahnhof mittlerweile aussieht?“, flüsterte ich Bibi zu. „Komm doch heute

Mittag mit, wenn deine Mutter es erlaubt. Dann kannst mich auch gleich beraten, wen ich alles einladen soll."

So kam es, dass Bibi mit lauter *Ahs!* und *Ohs!* bei uns herumlief und den Gästetrakt bestaunte. „Das ist richtig toll geworden", rief sie verzückt. „Alles so hell und freundlich. Und dein Zimmer unterm Dach wird grandios."

„Wenn es mal fertig wird!", maulte ich. Ich hatte eine Picknickdecke auf der Wiese hinterm Lokschuppen ausgebreitet, auf der wir es uns gemütlich machten.

„Ach was, wird schon!" Bibi besprühte sich von oben bis unten mit Anti-Zeckenspray, dann zückte sie geschäftig einen Block. „Also, wen lädst du alles ein?"

In diesem Moment kam mit lautem Gebell Carlo angeflitzt. Er jagte Kassandra, die fauchend vor ihm flüchtete. Nach ihrer unliebsamen Begegnung neulich hatte sich die Katze wochenlang nicht mehr aus dem Haus getraut, jetzt war ihr ein Spaziergang offensichtlich zum Verhängnis geworden.

„Hilfe!" Bibi war erschrocken aufgesprungen.

„Keine Sorge, der tut dir nichts!" Daniel schlenderte läs-
sig heran. „Er will nur spielen."

„Ich weiß nicht ..." Bibi stand der Schock ins Gesicht geschrieben. Mir sicherlich auch. Ich wusste nicht, dass sie Angst vor Hunden hatte. Wenn es wirklich so war, konnte sie Daniel vergessen. Und ich konnte vergessen, dass er Lynn vergaß.

„Kannst dich drauf verlassen. Schau, er gehorcht aufs Wort." Daniel pfiff Carlo herbei, der prompt von Kassandra abließ und angetrottet kam. *Spielverderber*,

stand ihm ins Gesicht geschrieben, doch er machte zu Bibis Erleichterung brav Sitz.
„Du kannst ihn gerne streicheln, das mag er. Schau, so." Daniel guckte Bibi auffordernd an, seine Augen lächelten vergnügt.
Jetzt oder nie!, mach schon, flüsterte ich insgeheim meiner Freundin zu. Die machte keine Anstalten, Carlo zu berühren.
„Schisstante!" Daniel grinste und zu meiner großen Erleichterung nahm er einfach Bibis Hand und führte sie zu Carlos Kopf. Die ließ völlig überrumpelt zu, dass sie Carlo GEMEINSAM ausgiebig durchkraulten, und kam erst wieder zu sich, nachdem sich Daniel mit einem fröhlichen „man sieht sich" von uns verabschiedet hatte.
„Ich kenne Carlo nur als Welpe, da war er süß und klein und verschmust", stammelte sie. „Aber dass aus ihm so ein Monstervieh wird!"
„Er ist Daniels Ein und Alles", sagte ich leichthin. „Wenn du Carlos Herz eroberst, gewinnst du auch seins."
„Du findest, ich soll … Nur über meine Leiche." Entrüstet schüttelte Bibi den Kopf, dass ihre blonden Haare flogen.
„Lynn würde gerne öfters mit ihm Gassi gehen", behauptete ich einfach. „Aber Daniel erlaubt es nicht. Ich bin mir sicher, bei dir würde er eine Ausnahme machen."
„Meinst du?"
„Bestimmt. Daniel mag dich, das weiß ich." Woraufhin Bibi sanft lächelte, versonnen seufzte und sagte: „Na, wenn das so ist …"
Um mir nicht wieder Bibis Dauerschwärmereien anhören zu müssen, begann ich mit der Gästeliste. Eigentlich war

mir ja die Lust auf eine Einweihungsparty gründlich vergangen, aber wenn alle ihre Freunde einladen durften, wollte ich auch. Das Problem war nur: Ich hatte kaum welche. Bibi schien das ähnlich zu sehen.

„Lade doch die gesamte Klasse ein!“, meinte sie leichthin, „dann fühlt sich niemand übergangen. Und Platz habt ihr hier ja genug.“

„Rosa will sogar ein Zelt aufstellen.“ Ich verzog mein Gesicht. „Alles dreht sich nur noch um das große Eröffnungsevent. Es soll alles perfekt sein, damit die ersten Gäste gleich einchecken können.“

Ich erzählte Bibi, dass ich seit Tagen nichts anderes tat, als zu putzen und beim Einrichten zu helfen, und das alles neben der Schule. Manchmal sehnte ich mich glatt nach Oma Lisas Zeiten zurück. Rosa hatte so einen Feng-Shui-Fimmel, den sie in den neuen Räumen auslebte. Entsprechend gestaltete sie die Zimmer mit Holz, bunten Kissen und immergrünen Zierpflanzen. Auch wenn mich ihre Vorträge über das fließende Chi nervten und die Diskussion über einen Zimmerbrunnen im Frühstücksraum noch lange nicht vom Tisch war, musste ich zugeben, dass die neuen Gästezimmer sehr gemütlich und wohnlich geworden waren. Das Allercoolste waren die QR-Codes an den farbigen Wänden im Flur, die *so nebenbei* Wissenswertes über unsere Stadt und den alten Bahnhof erzählten, die Legende um das Geheimversteck des Drogenbosses im Keller inklusive. Ich fragte mich immer wieder, wie jemand wie Rosa jemals MATHEMATIK-Lehrerin hatte werden können.

Probier was aus

Ich habe mich bereits durch sämtliche Programme gezappt, eine Schüssel Erdnüsse leer gefuttert und mir die Fingernägel geschnitten. Weil es noch zu früh ist, um schlafen zu gehen, beschließe ich, mir ein ausgiebiges Bad zu gönnen und im warmen Wasser eine Runde zu lesen. Während ich genüsslich in den Schaum tauche, ein Glas Kirschbananensaft in der linken, mein Buch in der rechten Hand, fällt mein Blick auf eine Tube in Lynns Ablage. „Beauty-Maske" steht da drauf, groß und einladend. Schnell wende ich meinen Blick wieder ab, Lynns Sachen sind tabu. Ich versuche, mich wieder auf mein Buch zu konzentrieren, doch immer wieder muss ich zwischendurch zu der quietschgrünen Tube schielen. Warum eigentlich nicht, denke ich? Vielleicht hat Bibi ja recht und ich muss etwas für mich tun. Ich will zwar nicht blond und blöde sein, aber auch nicht so langweilig wie jetzt. Und weil ich eben nicht beratungsresistent bin und das Mädchenmagazin sehr aufmerksam von vorne bis hinten durchgelesen habe, weiß ich genau, was ich zu tun habe: Ich klettere wieder aus der Badewanne, wasche mein Gesicht sauber und trage vorsichtig eine Schicht Beauty-Maske auf, Augen- und Mundpartie spare ich aus. Kichernd gucke ich das grüne Froschgesicht im Spiegel an, dem eselige Haare zu Berge stehen. Dann lasse ich mich mit einem wohligem IAH! zurück in den Schaumberg sinken.

Doppelt gemoppelt

156 Und dann kam er, schneller als gedacht: der doppelt große Tag! Mein Geburtstag und die Einweihungsfeier. Um alles perfekt zu machen, hatte Rosa einen coolen Hostel-Flyer samt Speisekarte und Internetauftritt gestalten lassen und die Einladungskarten hatte sie höchstpersönlich an alle Wichtigfrauen und -männer unserer Stadt verteilt. Jetzt stand im Hof ein überdimensionales Partyzelt, im Speisesaal war ein Buffet aufgebaut und ein Jazz-Trio spielte auf der Wiese. Natürlich schien die Sonne.

Rosa hatte es tatsächlich geschafft: Sie hatte das ehemals *charmante* (= baufällige!) Anwesen in ein bunt-fröhliches Gästehaus verwandelt. Und das lag nicht nur an den vielen kleinen Fähnchen und Kugeln, die sie überall verteilt hatte, auch nicht an den flatternden Wimpeln und Lampions. Selbst wenn es mir schwerfiel, es zuzugeben: Es lag an Roselotte selbst. Meine einst so gestresste Mathelehrerin blühte zwischen all den vielen Renovierungsarbeiten auf. Wenn sie für andere kochen und sorgen konnte, war sie in ihrem Element. Glücklich lächelnd lief sie jetzt zwischen den Gästen umher, selbst Yaris' Dreckpfotenabdruck auf ihrem langen weißen Rock konnte ihrer guten Laune keinen Abbruch leisten. Rosa war am Ziel ihrer Träume, ohne Frage.

Ich noch nicht. Zwar hatte ich mich mehr oder weniger an meine neue Großfamilie gewöhnt, aber ich war immer noch sauer auf Papa, der sich viel mehr um Lynn bemühte als um mich. Unsere Kuschel- und Gelati-Stunden schien er völlig vergessen zu haben. Zu allem Übel war ihm offensichtlich die Sache mit Mamas Tagebuch komplett entfallen. Das ging ja nun gar nicht.

„Ach das", hatte er abgewunken, als ich ihn am Morgen gleich nach seinem Geburtstagskuss darauf angesprochen hatte. „Das gebe ich dir später!"

SPÄTER? Es war für MICH. Von *meiner* Mutter. Mir schossen die Tränen in die Augen. Wie konnte er nur! Allein der Gedanke daran hatte mich die letzten Wochen ertragen lassen. Allein deswegen hatte ich diesen absurden Endspurt durchgehalten, in jeder freien Minute geholfen, geputzt, geackert. Und jetzt? Später …

Da half es gar nicht, dass Rosa extra für mich eine oberleckere Geburtstagstorte mit einer riesigen Glitzer-Dreizehn gebacken hatte.
„Herzlichen Glückwunsch, liebe Alicia“, sagte sie. „Heute ist ein ganz besonderer Tag für dich!“ Rosa umarmte mich und drückte mich fest an sich. Ich glaubte, sie meinte es ehrlich und hatte in diesem Moment glatt vergessen, dass ich ihre ehemalige Antischülerin mit den gemeinen Streichen war. Sie murmelte dann noch eine Entschuldigung wegen der vielen Turbulenzen hier auf dem Hof und dreizehn sei ja ein ganz besonderes Alter, von wegen beginnender Pubertät, aber Papa wiegelte das sofort wieder ab.
„Keine Sorge, meine *Alitschia* ist nicht so, gell?“, sagte er und lächelte mich aufmunternd an. „Sie freut sich, dass endlich mal so viele Gäste auf ihre Geburtstagsparty kommen.“
Ich streckte ihm die Zunge raus, dem Doofmann. Mein Beitrag zu dem Fest bestand nämlich darin, doch nur Bibi, Amal und Jo eingeladen zu haben, Daniel ja sowieso. Lynn dagegen hatte ihre gesamte Clique angeschleppt, Yaris seine zwei besten Kumpels, aber die waren laut und anstrengend für zwanzig.
„Hey, was guckst du denn so schlecht gelaunt?“ Daniel war neben mich getreten, ein Glas Schlammbowle in der Hand. „Hier, probier mal, die schmeckt lecker!“
„Weiß ich“, antwortete ich knapp, schließlich machte mir Lydia, seit ich denken konnte, Schlammbowle zum Geburtstag. Dieses Jahr hatte mir Daniel außerdem mit den Worten „diese Micky Mäuse sind noch cooler als Lynns Monsterbeats“ einen Gehörschutz überreicht, den er beim

Ausräumen sichergestellt hatte. Er war der Meinung, den könnte ich bei all meinem Trouble gut gebrauchen.
„Ist ja schon okay, ich zieh weiter“, grinste Daniel. Er kannte mich gut genug, um mir nicht böse zu sein. Trotzdem hätte es gutgetan, er hätte nachgehakt, was wirklich los war. Dann hätte es nämlich sein können, dass ich ihm alles erzählt hätte. Aber er stupste mich nur aufmunternd in die Seite und zockelte dann Richtung Schuppen. Ohne Carlo, der für heute Hofverbot hatte, wirkte er merkwürdig allein, wie er im Weggehen zu Lynn rüberschielte. Die war natürlich in ihrem Element, lachte und scherzte mit ihren Freunden. Ein Junge mit knallroten Haaren hatte den Arm um sie gelegt. Aha, das war also der SÜSSE Typ.
Ich war gerade auf dem Weg Richtung Buffet, um mich mit Schokotorte zu trösten, da verstellte mir Bibi wutschnaubend den Weg.
„Na, das hast du dir ja schön ausgedacht“, blaffte sie mich an.
„Hä?“
„Echt, Alicia, das hätte ich nicht von dir erwartet! Niemals.“ Sie schüttelte energisch ihre blonde Mähne, in die sie für heute extra Ringellocken gedreht hatte.
„Kannst du mir mal erklären, was los ist? Was habe ich denn getan?“
„Ach, vergiss es!“ Mit Tränen in den Augen wandte sich Bibi ab und wurde sofort von Amal tröstend zur Seite gezogen.
„Du bist mir eine!“ Jo war unbemerkt neben mich getreten. „Hättest uns ja mal sagen können, dass *du* mit Daniel zusammen bist. Und das schon seit über einem Jahr!“

„Hä?“, wiederholte ich mich. So langsam dämmerte mir etwas. Bibi dachte, Daniel wäre mein Freund! Deswegen weinte sie. Das konnte sie nur von …

„Lynn!“, rief ich entsetzt. Prompt drehten sich sämtliche Gäste irritiert nach mir um. „Was hat sie euch erzählt?“

„Die arme Lynn sagt, sie ist völlig durcheinander!“, machte Jo weiter. „Sie weiß nicht, was sie tun soll, weil sie glaubt, dass Daniel sie gut findet. Aber weil ihr schon so lange zusammen seid, will sie ihn dir nicht wegnehmen.“

„Und das nimmst du ihr ab?“ Ich verzog verächtlich mein Gesicht, aber dann kapierte ich. Lynn glaubte wirklich, was ich damals beim Picknick erzählt hatte! Und die ganze Zeit über hatte sie sich absichtlich an Daniel rangeschmissen, nur um mich zu ärgern. Von wegen durcheinander! Sie wollte mich auf die Probe stellen. Ich seufzte und strich mir durch meine widerborstigen Haare, die ich extra für heute mit einem Klecks Gel aus Lynns Tube gebändigt hatte. Kein Wunder, dass Bibi nach dieser Bemerkung am Boden zerstört war. Sie hatte gehofft, heute auf dem Fest endlich Daniel zu küssen, das hatte sie mir gestern noch anvertraut. Bibi hatte extra ein Lippenpeeling gemacht.

„So ein Quatsch! Ihr kennt doch Lynn und ihre Geschichten! Schau doch mal …“ Ich deutete Richtung Walnussbaum, unter dem sich gerade Lynn mit dem Rothaarigen zu einem Kuss verknäult hatte. „In Wahrheit hat Lynn die ganze Zeit über mit Daniel geflirtet, und zwar einzig und allein deshalb, um *mir* eins auszuwischen. Weil sie *glaubt*, WIR wären ein Paar. Aber ich habe sie natürlich längst durchschaut!“ Ich versuchte ein Grinsen und Jo guckte mich ungläubig an. „Aber wenn sie denkt, sie kann mich damit ärgern … geschnitten!“

„Und was machen wir jetzt?“, fragte Jo verzweifelt, die so langsam zu kapieren schien, welch fieses Spiel Lynn da spielte. „Die arme Bibi heult sich die Augen aus.“

„Ich hab eine Idee! Hol du Bibi“, rief ich, sprang auf und rannte Richtung Schuppen.

„Hey, mach auf, ich bin’s!“ Ich rüttelte an der Tür, die Daniel von innen verschlossen hatte. Es dauerte Ewigkeiten, bis er angeschlurft kam und öffnete.

„Hat man denn hier nirgends mehr seine Ruhe?“, fragte er.

„Schnellmerker! Du sagst es!“, grinste ich ihn an. „Los, komm mit.“ Ich nahm ihn einfach an der Hand.

Jo und Amal warteten mit Bibi unterm Walnussbaum und redeten auf sie ein. Offensichtlich erklärten sie ihr gerade, welch intrigante Ziege Lynn war. Bibi sah immer noch verheult aus, schien sich aber wieder eingekriegt zu haben und lächelte mich sogar an, als ich jetzt zu ihnen trat. Da entdeckte sie Daniel hinter mir und wurde rot. Amal und Jo atmeten hörbar aus.

„Bibi hat für Carlo ein paar Leckerli mitgebracht“, begann ich einfach und lobte mich insgeheim für meinen guten Einfall. „Ich finde, die solltet ihr ihm gemeinsam bringen. Wo der Arme doch den ganzen Tag über eingesperrt ist.“

„Wirklich?“ Daniel strahlte Bibi an. „Das ist wirklich …“, er suchte nach den passenden Worten, „… lieb von dir!“

Jo war die Erste, die kapierte, und gab Bibi einen Schubs nach vorne, dass sie beinahe in Daniels Arme fiel.

„Na, dann los“, rief Amal, „Aber bleibt nicht zu lange, sonst ist keine Schlammbowle mehr übrig!“

„Worauf wartest du, geh schon!“ Im Vorübergehen drückte ich der verdutzten Bibi ein paar Käsewürfel in die Hand, die ich vorhin vom Buffet geklaut hatte. Ich kenne doch Carlo, an dem ist glatt eine Maus verloren gegangen. Bibi bewegte sich langsam wie eine Schlafwandlerin. Ich nickte ihr aufmunternd zu. Auch wenn ich selbst noch nie verliebt war und es Bibis Meinung nach wohl auch so schnell nicht sein würde, hatte ich eins verstanden: Bibi war in Daniel verknallt und Daniel in Bibi. Es wurde allerhöchste Zeit, dass die beiden zusammenkamen – und Lynn ihnen nicht mehr dazwischenfunkte. Bibi schien endlich kapiert zu haben und folgte Daniel Richtung Nachbargrundstück. Im Weggehen drehte sie sich noch einmal um und winkte mir zu.

„Was immer Lynn erzählt hat, es stimmt nicht!“, sagte ich zu Jo und Amal. „Schaut doch, sie interessiert sich wirklich nicht die Bohne für Daniel! Das hat sie alles nur gemacht, um mich zu ärgern!“ Ich deutete zur Wiese, auf der Lynn und ihr Typ eng umschlungen tanzten.

„Dann ist ja alles gut!“ Amal und Jo stupsten sich gegenseitig in die Seiten und lachten erleichtert.

„Wirklich toll hier“, meinte Amal, „ich sollte dich öfter besuchen! Jetzt, da dein Oma-Drachen gezähmt ist und die *Froboese* nicht mehr unsere Mathelehrerin ist, kann es doch nicht mehr so schlimm sein, oder?“

Ich schüttelte den Kopf und grinste in mich hinein. Aus Oma Lisa war die Friedenstaube in Person geworden.

Keine Spur mehr von ihrer alten Kauzigkeit! Im Gegenteil, sie lachte und scherzte mit Yaris und hatte für heute sogar den Besuch von Opa Georg erlaubt. Mittlerweile wusste ich auch, woher ihre gute Laune kam. Ich hatte heimlich ein Gespräch zwischen Rosa und meinem Vater belauscht, als sie sich gerade über einen dieser Drohbriefe von Silke ärgerten. Dabei kam heraus, dass unser Hof bis über alle Grundstücksgrenzen hoch verschuldet gewesen war und eine Zwangsversteigerung gedroht hatte – hätte Rosa nicht ihr Erbe investiert. Kein Wunder also, dass Oma Lisa mit Papas neuer Freundin samt Familienzuwachs mehr als einverstanden gewesen war. Sie hatte überhaupt keine andere Wahl und das Glück auf ihrer Seite gehabt: Meine Mathelehrerin hätte ja auch eine Kerstin sein können.

„Komm, wir holen uns Kuchen!“, schlug Jo vor. „Ist zwar nicht gut für meine Modelkarriere, aber lecker.“

„Geht ihr schon mal vor, ich habe noch etwas zu erledigen“, sagte ich. Meine Freundinnen hatten recht. Wenn ich mich so umblickte, war alles gut. Papa und Rosa unterhielten sich mit dem Oberbürgermeister, Yaris tobte mit seinen Freunden durch den Garten, Oma saß neben Opa Georg auf der Bank, ohne ihn anzugiften. Selbst Lydia war gekommen und trug ausnahmsweise keinen schwarzen Rock, sondern ein luftiges Sommerkleid, das ihr ausgesprochen gut stand. Einzig Lynn störte im Bild, ich wurde nach wie vor aus ihr nicht schlau. Einerseits verhielt sie sich mir gegenüber mittlerweile freundlich und hilfsbereit, andererseits hatte sie sich gerade eben die Schote mit Daniel geleistet. Was sollte das? Nachdenklich sah ich zu ihr hinüber, der rothaarige

Typ hing an ihr wie ein Krake, aber sie schien es zu genießen. Igitt, wie konnte sie sich nur so abschlabbern lassen? Da trafen sich über die Köpfe der Gäste hinweg unsere Blicke. Lynn grinste mich an, ich streckte ihr die Zunge raus. Von einer wie Lynn würde ich mir das Leben nicht vermiesen lassen. Sollte sie doch ihre blöden Spielchen spielen, aber nicht mit mir! Und schon gar nicht würde ich zulassen, dass sie meine besten Freunde an der Nase herumführte und zum Weinen brachte. Denn das hatte ich heute verstanden: Auf Jo, Amal und Bibi war Verlass, auf Daniel sowieso. Ich konnte nur hoffen, dass Lynn in Zukunft mehr Zeit mit ihrem Feuerkopf verbringen würde als hier auf dem Hof. Und zwischen unseren Betten würde ich eine Leine spannen und Tücher daran hängen, als Sichtschutz, und eine der Gästetoiletten zu meinem persönlichen Refugium erklären. Jetzt im Sommer würde ich auch viel mehr Zeit draußen und in der Meisterbude verbringen, da würde ich Lynn zwangsläufig nicht mehr so oft über den Weg laufen. Voller guter Dinge im Bauch wandte ich mich ab, ich muss wohl gelächelt haben, denn prompt fragte Papa mich:

„Na, amüsierst du dich, *Alitschia?*“ Er legte zärtlich den Arm um mich, wie er das früher immer gemacht hatte. „So habe ich mir das hier immer gewünscht: Ein volles Haus, bunt, fröhlich, voller Leben! Und jetzt, da wir selbst den Oberbürgermeister überzeugt haben, steht der Neueröffnung nichts mehr im Wege.“ Er strahlte über das ganze Gesicht und sah sehr glücklich aus.

Ohne ein Wort zu sagen, kuschelte ich mich an ihn. Ja, ich war auch froh, dass bei uns wieder mehr gelacht wurde.

Dass Papa meine Mathelehrerin knutschte, war zwar nach wie vor gewöhnungsbedürftig für mich, aber letztendlich der Grund, weshalb er jetzt immer zu Hause war. Eine Weile beobachteten wir gemeinsam das bunte Treiben auf der Wiese und lachten über Yaris, der drei Würstchen gleichzeitig mampfte. Dann hielt mir Papa ein schmales Notizheft hin.
„Hier, das habe ich beinahe vergessen vor all der Aufregung. Steht nichts Besonderes drin, aber ich hatte es dir ja versprochen."
„Du hast es schon gelesen?" Es war mehr eine Feststellung als eine Frage.
„Klar, was denkst du denn?" Papa grinste mich verwundert an. „Deine Mutter war eine ... eine besondere Frau, musst du wissen. Und sie hat dich wirklich sehr geliebt."
Es war das erste Mal seit Ewigkeiten, dass er mit mir über sie sprach. Kurz überlegte ich, ob ich ihn auf den Ring und die Initialen ansprechen sollte, beschloss dann aber, das Geheimnis für mich zu behalten. *Besonders* ... mehr fiel ihm zu meiner Mutter nicht ein?
„Und du?", rutschte es mir heraus. „Hast du sie auch geliebt?"
„Weiß nicht", antwortete er ehrlich. „Das mit der Liebe ist kompliziert. Aber davon verstehst du ja noch nichts! Wenn du so weit bist, sollst du das nächste Heft bekommen." Papa zuckte mit den Schultern, hauchte mir einen Kuss auf die Wange und verschwand dann Richtung Bar, wo er sich ein Bier bestellte.
Rasch rannte ich mit dem Heftchen in der Hosentasche zum Schuppen, ich wollte JETZT SOFORT ungestört

darin lesen. Doch in der Meisterbude saßen natürlich Bibi und Daniel und unterhielten sich angeregt, Carlo saß wie ein Anstandswauwau zwischen ihnen. Leise fluchend schloss ich die Tür und flitzte auf mein Zimmer. Aber da lag Lynn mit ihrem Rothaargebirge auf dem Bett und knutschte.

Ich hatte wirklich nirgendwo mehr meine Ruhe, da nützten mir auch die Micky Mäuse nichts. Also setzte ich mich einfach an den Küchentisch und las die erste Seite.

Liebe Alicia,

wenn Du diese Zeilen liest, bin ich weit weg, aber nicht tot. Wie ich Deine Oma Lisa kenne, wird sie Dir erzählt haben, dass mein Vater ein Drogenboss war und sich im Kellergewölbe versteckt hielt, bevor wir fliehen mussten. Oder dass ich eine Schimmelpilzallergie hätte. Das ist nur die halbe Wahrheit, aber dazu später mehr. Richtig ist, dass ich damals Deinen Vater kennen- und lieben gelernt habe – und nicht bei Euch bleiben KONNTE, um Euer Leben zu schützen. Mit dreizehn bist Du jetzt hoffentlich alt genug, um meinen Entschluss zu verstehen und mir zu verzeihen. Wäre ich geblieben, wären wir heute alle tot. Ich denke jeden Tag an Dich und hoffe, es geht Dir gut.

Bis bald, Deine Mama

Was hatte das zu bedeuten: Wir wären heute alle tot? In welche dubiosen Geschäfte war meine Mutter verstrickt? War mein Leben immer noch in Gefahr?

Gleichzeitig bedeutete das aber auch: Mama hatte mich wirklich lieb! Sie war irgendwo und dachte an mich – und irgendwann würde ich sie wiedersehen. Hoffte ich. Und wenn ich SO WEIT WAR, würde ich wieder von ihr hören und lesen.
Heftig atmend blätterte ich durchs Heftchen. Meine Mutter hatte scheinbar wahllos Kassenbons, Busfahrkarten und Notizzettel eingeklebt und zwischendurch immer wieder Buchstaben und Zahlen notiert. Ich konnte mir keinen Reim darauf machen. Enttäuscht und wütend zugleich knallte ich das Heftchen in die Ecke und wusste nicht, was ich fühlen sollte. Mama war gegangen, um mein Leben zu schützen – das war ja wie in einem schlechten Krimi! Gleichzeitig wusste ich, dass es der Wahrheit entsprach. Morgen würde ich Papa so lange löchern, bis er mir endlich mehr über ihr Verschwinden erzählte.
Da fühlte ich Atem neben mir. Jemand strich mir sanft über die Schulter und reichte mir nach einer Weile ein Taschentuch. Mir war gar nicht aufgefallen, dass ich weinte.
„Tut mir leid für dich", sagte Lynn mit sanfter Stimme. „Es muss ein doofes Gefühl sein, nicht zu wissen, wo seine Mutter ist. Und noch schlimmer: Warum sie gegangen ist."
Ich atmete tief durch und sah sie dankbar an, ich spürte, sie meinte es ehrlich. Ich nickte.
„Das Seltsame ist: Ich hatte die Sache mit Mama fast verdrängt. Erst seit ich euch kenne, muss ich ständig an sie denken. An die Geschichten, die vielen." Ich schniefte.

Lynn schwieg, ich war ihr dankbar dafür. Mittlerweile senkte sich die Dämmerung in die Küche, eine Fliege surrte am Fenster.

Leise sagte sie dann: „Mein Vater ist da und irgendwie doch nicht. Also stelle ich mir vor, dass er als unsichtbarer Geist wie diese Fliege dort ständig um mich herumschwebt, obwohl er weit weg auf einer Insel mit einem anderen Mann lebt. Das tröstet mich immer, wenn ich Daddysehnsucht habe."

„Gute Idee", versuchte ich ein Grinsen und tockte mir gleichzeitig an die Stirn. „Meine Mama ist 'ne Fliege! Vielleicht sollte ich den Gedanken auch mal ausprobieren."

„Und du hast immer noch uns", lächelte Lynn zurück und deutete auf Yaris, der sich draußen im Hof in Roselottes Arme geflüchtet hatte. Offensichtlich hatte ihn eine Wespe gestochen, denn sofort wimmelten alle mit guten Tipps um ihn herum, fischten Eiswürfel aus ihren Getränkebechern und holten Zwiebeln vom Buffet. Yaris heulte nur noch halb so dramatisch, als ihm jemand zum Trost ein Stück Schokotorte reichte. Wie kleine Brüder eben sind.

„Stimmt!", musste ich zugeben und blickte ihr zum allerersten Mal richtig in die Augen. Sie waren grün mit gelben Sprenkeln und funkelten. Ich konnte mich in ihnen erkennen, so nah standen wir plötzlich. Warm fühlte es sich an, hier mit Lynn zu sein, gar nicht mehr doof und bescheuert, sondern seltsam vertraut, nah. Zu nah.

„Warte nur ab, wenn Philipp erst mal wieder hier ist, wird alles noch lustiger", unterbrach sie den Augenblick. Typisch.

„Und Mister Rothaar?"
„Ach, der küsst nicht gut …", winkte Lynn ab.
„Aber Daniel ist tabu!" Ich blickte sie streng an. Sicher war sicher, bei Lynn wusste man nie.
„Ich weiß schon, er ist dein Freund …"
„Er ist mein KUMPEL – und Bibis Freund", korrigierte ich sie und genoss ihren verblüfften Gesichtsausdruck. *Touché!* Wir waren quitt.
„Echt? Und ich dachte … Deswegen hat dir das alles nichts ausgemacht!" Sie schlug sich mit der Hand vor die Stirn. Dann kicherte sie los: „Komm, wir holen uns auch Schokotorte!"
Ich verstand nicht, was daran so komisch sein sollte, wenn man für nichts und wieder nichts in High Heels über den Hundeplatz gestolpert war. Als sie mich dann am Arm nach draußen in den Garten zog, wo mittlerweile bunte Lampions in der Dämmerung leuchteten, verstand ich nur eins: Eine durchgeknallte Lynn war besser als gar keine Schwester!

Danke

Beim Schreiben kann ich hinterher immer nie genau sagen, welche Geschichten und Erlebnisse alle mit einfließen, alles ist Text. Aber folgende Personen und Begebenheiten haben mich ganz besonders zu Alicia inspiriert und mich beim Schreiben unterstützt. Ihnen allen möchte ich ein herzliches Dankeschön sagen:
dem endlosen Winter für seine Millionen Schneeflocken;
Heiner Wallum für Heizkessel- und Klogeschichten;
Irmhild Einwohlt dafür, dass ich nie fragen musste, wo sie steckt;

Wilfried Einwohlt für Novaja Semlja, die Meisterbude und all die Bahnhöfe, die wir gemeinsam bereist haben;
Max Kowallik für Flip und Gitarrensolos;
Jil Kowallik für Alicia (und ein bisschen für Yaris) und Gelati-Träume;
Kerstin Kipker für ihr großes Herz mit Ohr;
Kerstin Kindinger fürs Nicht-Kerstin-Sondern-Freundin-Sein;
Doreen Kirbis von KOKOM für ihren leidenschaftlichen Umgang mit Bild und Text;
dem Eisenbahnmuseum in Kranichstein für die inspirierende Besichtigung von Lokschuppen, Drehscheibe und Stellwerk.
Lisa Golze für filmreife Ideen;
Christa und Steffi Werner für ihre kultverdächtige Suppenküche;
meiner ehemaligen Mathelehrerin Frau Schatz, die der Meinung war, ich würde es NIE kapieren;
Hannah-Silvia Heise für Nachhilfe in Sachen Erbrecht;
Waltraud Wunder für Carlo samt Käsewürfeln;
Sabrina Hund für die tollen Stempelpartys;
meiner Lektorin Helene Hillebrandt für die italienischen Momente im Leben;
Martina Badstuber für die witzigen Illus des Buches;
und Tom Kowallik für kreative Umbaupläne, stilweisende Farbberatungen und mallorquinische Träumereien in unserem Leben.

Ilona Einwohlt im Oktober 2013

Ilona Einwohlt

Alicia

Wer zuerst küsst, küsst am besten!!!

Alicia brennt darauf, ein weiteres Tagebuch ihrer verschwundenen Mutter zu lesen. Doch dafür gibt es eine Bedingung: Sie muss ihren ersten Kuss erlebt haben! So ein Mist, dass Alicia sich gar nicht für Küssen und Verliebtsein interessiert. Und überhaupt: Ab wann zählt ein Kuss denn als Kuss? Doch als die Zwillinge Tim und Tom auftauchen, geraten ihre Gefühle wider Willen ganz durcheinander. Und dann steht auch noch Roselottes ältester Sohn Philip vor der Tür ...

Auch als E-Book erhältlich

Arena

168 Seiten • Klappenbroschur
ISBN 978-3-401-06995-1
www.arena-verlag.de

Ilona Einwohlt

Mein Pickel und ich

Als Sina eines Tages ihren ersten Pickel entdeckt, ahnt sie das Schlimmste: P wie Pubertät ist angesagt! Und es kommt bald noch übler. Nach den Pickeln tauchen auch die ersten Busenknubbel auf und die Periode kündigt sich an! P wie Panik? Keine Spur! Mit viel Witz erzählt Sina von ihrem hormonverwirbelten Leben und von den kleinen und großen Katastrophen in dieser spannenden Zeit.

Die Schule und ich

Schule nervt!, findet Sina, und zwar gewaltig. Vokabeln pauken, öde Schullektüre, Referate halten. Das ist Horror hoch zehn! Die Klassenfahrt ist noch okay, aber Mobbing, scheußliches Essen in der Schulmensa und ein unfairer Lehrer nicht – jetzt hat Sina endgültig die Nase voll: Sie lässt sich zur Klassensprecherin wählen und kämpft für Gerechtigkeit, unter dem Motto: »Das Beste an der Schule, das sind wir!«

Arena

208 Seiten • Arena Taschenbuch
ISBN 978-3-401-50443-8
www.arena-verlag.de

256 Seiten • Arena Taschenbuch
ISBN 978-3-401-50444-5
www.sinasblog.de
Auch als Hörbuch bei Arena audio

Ilona Einwohlt

AllerBesteFreundinnenZeiten und ich

Bei Sina und Kleo war es Freundschaft auf den ersten Blick, Jolinas beste Freundin ist ihre Mutter und Julia chattet am liebsten mit ihrer neuen Online-Freundin Ala. Ob Internet-, Schul- oder Kleeblattfreundschaft: Sina und ihre Freundinnen sind Expertinnen auf diesem Gebiet und wissen, was sie aneinander haben. Auch, wenn es mal Streit gibt!

208 Seiten • Klappenbroschur
ISBN 978-3-401-06912-8
www.arena-verlag.de

HerzSchmerz-Zeiten und ich

In Sinas Bauch kribbelt es gewaltig, wenn sie an Yannis denkt, Jolina und Malte flirten, was das Zeug hält, und Kleo geht der Kuss nicht aus dem Sinn – ausgerechnet von Sinas Yannis. Da sind Tränen und Liebeskummer vorprogrammiert. Aber was, wenn Wut und Eifersucht zu stark werden? Und wie überlebt man eine Trennung? Am besten mit Sinas Tipps und der Anti-Liebeskummer-Beschwörungsformel.

208 Seiten • Klappenbroschur
ISBN 978-3-401-06867-1
www.sinasblog.de

Arena